Frances Frattali
W9-AGJ-342

ROMANCERO GITANO

POEMA DEL CANTE JONDO

Federico García Lorca. retrato por Gregorio Prieto

FEDERICO GARCÍA LORCA

ROMANCERO GITANO

POEMA DEL CANTE JONDO

PRÓLOGO DE JOSÉ LUIS CANO

ESPASA-CALPE, S. A.
MADRID
1978

Edición especialmente autorizada para

SELECCIONES AUSTRAL

—

Depósito legal M. 14.662–1978

ISBN 84–239–2039–9

Impreso en España
Printed in Spain

Acabado de imprimir el día 30 de mayo de 1978

Talleres gráficos de la Editorial Espasa-Calpe, S. A.
Carretera de Irún, km. 12,200. Madrid-34

PRÓLOGO

No siempre la infancia de un poeta influye de modo decisivo en su destino de artista, pero en el caso de Federico García Lorca esa influencia parece indudable. Nacido en un pueblecito andaluz, Fuente Vaqueros, en la vega granadina, el 5 de junio de 1898, Federico vivió toda su infancia en el campo, en los pueblos camperos, donde tenía casas y cortijos su padre. Él mismo evocaría más tarde lo que fueron aquellos años infantiles, en contacto directo con la naturaleza y con la gente del campo andaluz: «Toda mi infancia es pueblo. Pastores, campo, cielo, soledad...» Pero también una infancia alegre, de juegos y canciones y correrías por la vega con los demás niños del pueblo. Una infancia algo pagana, si tomamos al pie de la letra la dedicatoria que escribió para su *Libro de poemas*: «... Tendrá este libro la virtud de recordarme en todo instante una infancia apasionada, correteando desnuda por las praderas de una vega sobre un fondo de serranía.» «He tenido —nos dirá en otra ocasión— una infancia muy larga, y de esa infancia tan prolongada me ha quedado esta alegría, mi optimismo inagotable.» ¿Cómo no recordar su risa contagiadora? Federico hablaba así de ella: «Esta risa de hoy es mi risa de ayer, mi risa de infancia y de campo, mi risa silvestre, que yo defenderé siempre, siempre, hasta que me muera.»

El mundo de la naturaleza, con su variedad y su misterio, ejerció sobre Federico desde niño una fascinación constante. Pasaba horas enteras contemplando el ir y venir de las hormigas, escuchando el canto de los pájaros o el sonido del viento entre las ramas de los árboles. «Siendo niño –declaró a un periodista argentino– viví en pleno ambiente de naturaleza. Como todos los niños, adjudicaba a cada cosa: mueble, objeto, árbol, piedra, su personalidad. Conversaba con ellos y los amaba. En el patio de mi casa había unos chopos. Una tarde se me ocurrió que los chopos cantaban. El viento, al pasar por entre sus ramas, producía un ruido variado en tonos, que a mí se me antojó musical. Y yo solía pasarme las horas acompañando con mi voz la canción de los chopos... Otro día me detuve asombrado. Alguien pronunciaba mi nombre, separando las sílabas como si deletreara: «Fe... de... ri... co...» Miré a todos los lados y no vi a nadie. Sin embargo, en mis oídos seguía chicharreando mi nombre. Después de escuchar largo rato, encontré la razón. Eran las ramas de un viejo chopo, que al ro-

Casa donde nació el poeta. en Fuente Vaqueros. Dibujo de Manuel Maldonado

zarse entre ellas producían un ruido monótono, quejumbroso, que a mí me pareció mi nombre.» Siempre conservó Federico los recuerdos de su infancia campesina cálidamente vivos en su corazón, llevándolos luego a su obra. Desde niño amó a la tierra, su vega granadina, y se sintió ligado a ella, a sus ríos y a sus árboles, en todas sus emociones. «Mis más lejanos recuerdos de niño –decía también Federico– tienen sabor a tierra.»

A este amor por la tierra y el campo se unió pronto en Lorca el gusto por las canciones y coplas populares andaluzas que escuchaba cantar a las criadas de su casa. El mundo de las criadas es un mundo importante en la infancia de Federico, quien reconoció más de una vez la deuda que tenía contraída con las criadas de su niñez, que le enseñarón romances y canciones, versos dramáticos o alegres. Por eso, no nos extraña que dedique una de sus *Canciones* «a Irena, criada». El elogio de esas criadas andaluzas lo hizo Federico en su conferencia sobre las *Nanas* infantiles, al hablar de la importante labor que realizan llevando «el romance, la canción y el cuento» a las casas de los ricos: «Los niños ricos –nos dice Lorca en ese texto– saben de Gerineldo, de don Bernaldo, de Tamar, gracias a estas admirables criadas y nodrizas que bajan de los montes o vienen a lo largo de nuestros ríos para darnos la primera lección de

Historia de España y poner en nuestra carne el sello áspero de la divisa ibérica: *Sólo estás y sólo vivirás*.» Solía Federico recordar las veladas que se organizaban al atardecer en la casa familiar, ya terminadas las tareas y los trabajos del campo, para escuchar la guitarra y el cante de mozos y criadas. Así, desde muy niño, pudo Federico escuchar los diversos cantes populares andaluces, incluyendo el cante jondo: peteneras, soleares, granadinas, seguidillas. Como es sabido, algunos de esos cantes y romances que escuchó de niño, como *Los cuatro muleros* o *Los peregrinitos*, fueron más tarde armonizados por él para que los cantase *la Argentinita*, y él mismo los cantó mil veces para sus amigos, acompañándose con la guitarra o el piano. Desde muy joven amó Federico la guitarra y el cante, y no tardó en conocer sus secretos. A los diez años era ya un niño de rica imaginación, alimentada por las historias de aquellos romances y cantares, y de los cuentos y leyendas que escuchaba a los mayores. Ese amor por la naturaleza y por la música, por las canciones y coplas populares, fue sembrando en su alma infantil las dotes que más tarde habrían de convertirle en un poeta y un artista.

Sin embargo, la poesía como arte escrito no se le reveló sino años después, al trasladarse su familia a Granada para que el joven Federico estudiase el bachillerato. En Granada descubrió

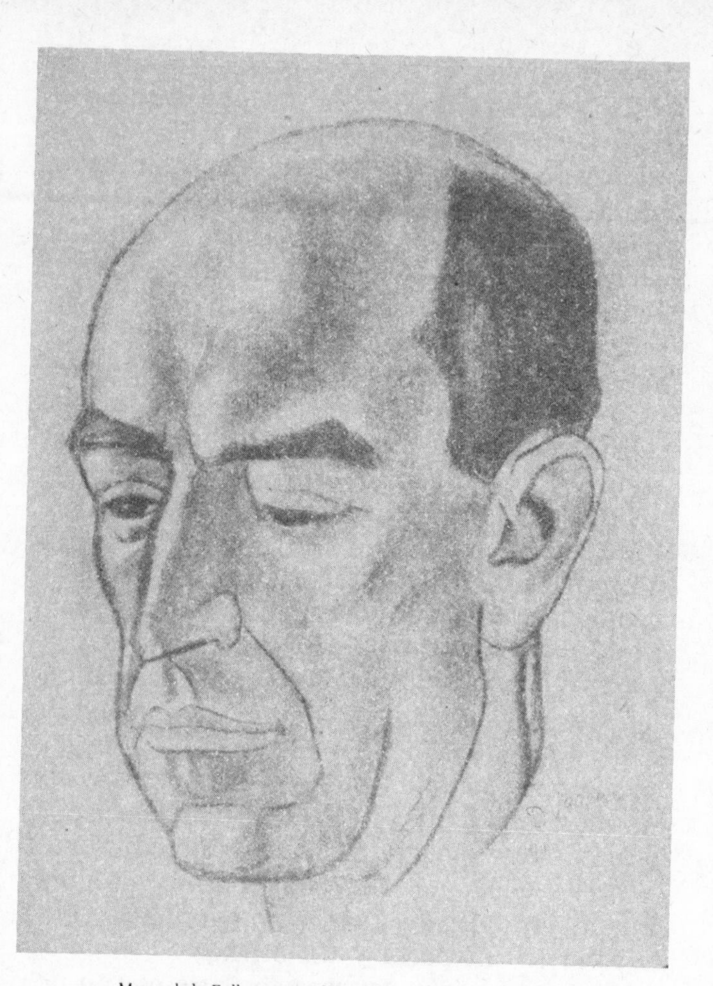

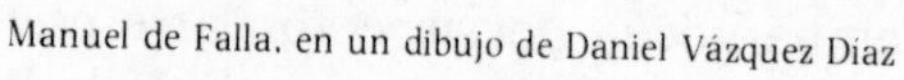

Manuel de Falla, en un dibujo de Daniel Vázquez Díaz

la poesía, y leyó por primera vez a Rubén Darío, a Antonio Machado, a Juan Ramón Jiménez. Al mismo tiempo siguió estudios musicales y aprendió a tocar el piano. Su vocación parecía oscilar entre la poesía y la música, pero al fin venció la primera. Y don Manuel de Falla, su amigo y maestro, hubo de resignarse a que el joven poeta no se convirtiera en un gran músico, como él había pronosticado. Al regreso de un viaje de estudios por diversas ciudades y pueblos españoles, escribió una serie de crónicas, y las reunió en un libro que, con el título de *Impresiones y paisajes*, publicó en 1918. Había comenzado su carrera de escritor. Al año siguiente marchó a Madrid para continuar sus estudios universitarios, instalándose en la famosa Residencia de Estudiantes, donde conoció a Moreno Villa y a Emilio Prados. Pero cada verano regresaba a Granada, y en la casa de campo que tenía su familia en la Huerta de San Vicente siguió escribiendo con intensidad y entusiasmo. En 1921 publicó su primer libro de versos, *Libro de poemas*, en el que a pesar de algunas influencias visibles, románticas y modernistas, se anunciaba ya una voz poética personal. Es en ese mismo año cuando Lorca comienza a escribir su libro *Poema del cante jondo*, que no se publicó hasta diez años después. No deja de sorprender, aun conociendo la costumbre de Federico de dejar dormir sus libros durante años antes de publicarlos, que *Poema del cante jondo* viera la luz en 1931, tres años después del *Romancero gitano*, ya que, en realidad, es como una introducción a éste. Incluso un personaje del *Romancero*, el Amargo, protagonista del «Romance del Emplazado», aparecía ya en los últimos poemas de *Poema del cante jondo*, y lo mismo ocurre con la «guardia civil caminera» del *Romancero gitano*. Temas, personajes, atmósfera del *Romancero*, se anticipan en esa pequeña obra maestra que es el *Poema del cante jondo*, inspirada en el cante y el baile andaluz, con toda su carga de misterio y la presencia avasalladora de la muerte, tema obsesivo a través de toda la obra de Lorca. El ritmo popular quebrado del verso corto, la fusión de elementos populares y tradicionales con imágenes cultas y barrocas, la mezcla de notas realistas con elementos alucinados y míticos, junto a la condensación expresiva de la copla popular, son algunas de las técnicas que Lorca emplea en este libro, fiel a una tradición neopopularista a la que, dentro de su generación, él y Alberti supieron dar calidad y gracia incomparables.

Aunque se creía que el *Poema del cante jondo* lo escribió Lorca a raíz del famoso Concurso del Cante Jondo que organizaron él y Falla en junio de 1922, hoy sabemos, gracias a Rafael Martínez Nadal que ha publicado los manuscritos de los poemas, que Federico escribió casi todo su libro en noviembre de 1921[1]. En una carta a su amigo Adolfo Salazar de agosto de ese año, aún no le habla del libro, pero sí de su entusiasmo por el cante jondo y por la guitarra: «Estoy aprendiendo a tocar la guitarra –le escribe–. Me parece que lo flamenco es una de las creaciones más gigantescas del pueblo español. Acompaño ya fandangos, peteneras y *er cante de los gitanos:* tarantas, bulerías y romeras. Todas las tardes vienen a enseñarme el Lombardo (un gitano maravilloso) y Frasquito el de la Fuente (otro gitano espléndido). Ambos tocan y cantan de una manera genial, llegando hasta lo más hondo del sentimiento popular...»[2]. Poco tiempo después, en enero de 1922, ya tenía casi terminado el libro, y le escribe de nuevo a Adolfo Salazar, hablándole del proyecto del Concurso del Cante Jondo: «Ya sabrás lo del concurso de cante jondo. Es una idea nuestra que me parece admirable por la importancia enorme que tiene dentro del terreno artístico y dentro del popular. ¡Yo estoy entusiasmado! ¿Has firmado el manifiesto? Yo no lo he querido firmar

[1] Véase Rafael Martínez Nadal: *Federico García Lorca: «Autógrafos. I. Poemas y prosas.* The Dolphin Book Co. Ltd., Oxford, 1975.

[2] Véase «Trece de Nieve», segunda época, núm. 1-2, diciembre 1976, pág. 34, y el comentario de Mario Hernández a dicha carta, págs. 36-39.

hasta última hora, porque mi firma no tiene ninguna importancia... ¡Si vieras cuánto he trabajado! Terminé de dar el último repaso a las *suites*, y ahora pongo los tejadillos de oro al *Poema del cante jondo*, que publicaré coincidiendo con el concurso. Es una cosa distinta de las *suites* y lleno de sugestiones andaluzas. Su ritmo es estilizadamente popular y saco a relucir en él a los cantaores viejos y a toda la fauna y flora fantásticas que llena estas sublimes canciones: el Silverio, el Juan Breva, el Loco Mateos, la Parrala, el Fillo y ¡la Muerte! Es un retablo..., es... *un puzzle americano*, ¿comprendes? El poema empieza con un crepúsculo inmóvil y por él desfilan la *siguiriya*, la *soleá*, la *saeta* y la *petenera*. El poema está lleno de gitanos, de velones, de fraguas; tiene hasta alusiones a Zoroastro, es la primera cosa de *otra orientación mía* y no sé todavía qué decirte de él..., ¡pero novedad sí tiene! El único que lo conoce es Falla y está entusiasmado... Y lo comprenderás muy bien conociendo a *Manué* y sabiendo la locura que tiene por estas cosas. Los poetas españoles no han tocado nunca este tema...[3].

Como es sabido, el Concurso del Cante Jondo que organizaron Falla y Federico, y cuya idea al parecer fue de éste, se celebró en Granada, en

[3] En «Trece de Nieve», segunda época, núm. 1-2, diciembre 1976, págs. 41-42.

Andrés Segovia, por Muñoz Lucena, Granada, 1918

junio de 1922. Para allegar fondos con destino al Concurso, los organizadores celebraron el día 7 un festival en el Alhambra Palace, en el que intervinieron, entre otros, Andrés Segovia, ya maestro de la guitarra; el viejo guitarrista Niño de Baza, y Federico que leyó por primera vez en público poesías de su *Poema del cante jondo*. En la fiesta del Concurso, celebrada los días 13 y 14 de junio, Lorca conoció, entre otros cantaores, al famoso Manuel Torres, a quien dedicaría las «Viñetas flamencas» del *Poema*, con esta dedicatoria: «A Manuel Torres, Niño de Jerez, que tiene tronco de Faraón.» Lo que pensaba Federico del cante jondo y la importancia que él daba a ese misterioso arte, lo expresó Lorca, antes que en su *Poema*, en la conferencia que con el título «El Cante jondo, primitivo canto andaluz», dio el 19 de febrero de 1922 en el Centro Artístico de Granada. En ella insiste Lorca en la trascendencia del cante jondo y en el acierto del pueblo andaluz en llamarle así: «Es hondo —escribe—, verdaderamente hondo, más que todos los pozos y todos los mares que rodean el mundo, mucho más hondo que el corazón actual que lo crea y la voz que lo canta, porque es casi infinito. Viene de razas lejanas, atravesando el cementerio de los años y las frondas de los vientos marchitos.» Y nos habla de las maravillosas letras del cante, de sus temas que siempre son los mismos: el amor, la pena, la muerte. «Pero un amor y una muerte —añade— vistos a través de la Sibila, ese personaje tan oriental, verdadera esfinge de Andalucía.» Sin embargo, cuando en la carta a Adolfo Salazar antes citada (del 1-I-1922), afirma Lorca que los poetas españoles no han tocado nunca este tema (el del cante jondo), olvida que Manuel Machado había publicado mucho antes, en 1912, un libro con el título *Cante hondo. Cantares, canciones y coplas compuestas al estilo popular de Andalucía*, en el que abordó el mismo tema, aunque no supo hacerlo con la hondura y el misterio con que lo hizo Federico. También Antonio Machado, en un poema titulado precisamente «Cante hondo», se anticipó a Lorca al ver al fondo común de ese cante: el Amor y la Muerte, y su misterio estremecido «en las músicas magas de mi tierra».

Lo primero que sorprende a quien se enfrenta con la obra de Lorca es la obsesión de la muerte que en ella domina. En ningún otro poeta español encontramos un número tan grande de poemas traspasado por el escalofrío y el misterio de la muerte. Una muerte que a veces se anuncia como una amenaza, como un presagio, o desemboca en sangre, en herida. No es extraño que cuando Antonio Machado quiso evocar en su poema «El crimen fue en Granada», el terrible fin de Federico en agosto de 1936, imaginase al poeta caminando con la Muerte por las afueras de Granada, requebrándola y cantándola para corresponder a lo que Ella supo dar, mientras vivió el poeta, a su poesía. Los críticos se han preguntado por los motivos de esa obsesión de la muerte, de su insistente presencia en la obra del poeta granadino, sobre todo a partir del *Poema del cante jondo*. Y no ha faltado alguno que haya visto en ello un presagio, una predestinación del fin trágico que le esperaba en plena juventud. En todo caso, lo que sí podemos afirmar es que Lorca conocía bien la sagrada importancia que el español da a la muerte, rodeándola de ceremonias solemnes, de ritos funerarios. En su conferencia «Teoría y juego del duende», escribió estas palabras: «En todos los países la muerte es un fin. Llega y se corren las cortinas. En España, no. En España se levantan. Muchas gentes viven allí entre muros hasta el día en que mueren y los sacan al sol. Un muerto en España está más vivo como muerto que en ningún sitio del mundo: hiere su perfil como el filo de una navaja barbera.» Y en otro lugar de esa conferencia llama a la muerte «la amada española».

Ya Pedro Salinas, en su admirable ensayo *García Lorca y la cultura de la muerte*, escribió que «el reino poético de Lorca, luminoso y enigmático a la vez, está sometido al imperio de un poder único y sin rival: la muerte». Pero no debe olvidarse que su presencia en el primer libro plenamente logrado de Federico, el *Poema del cante jondo*, viene obligada por el espacio mismo dentro del cual quiere moverse el poeta: el cante popular gitano, el cante jondo, que desde sus orígenes remotos deja escuchar la honda queja entrelazada del amor y la muerte, de Eros y Thanatos, al son casi siempre de la guitarra. Esa guitarra que «llora por cosas / lejanas» y por «el primer pájaro muerto / sobre la rama». Ya en el «Poema de la soleá», la tierra andaluza está vista como

Tierra
de la muerte sin ojos
y las flechas.

Muy pronto, tanto en el *Poema del cante jondo* como en el *Romancero gitano*, los protagonistas de los poemas son seres amenazados, acosados por los presagios de muerte, por los *sonidos negros* del duende, esa fuerza misteriosa del gitano que hace acto de presencia allí donde la muerte está cerca, donde brota la sangre y la pena negra de los gitanos quema por dentro y destruye como fuego abrasador. Así en el estupendo romance de Soledad Montoya o en el famoso «Romance sonámbulo». En el *Poema del cante jondo* las protagonistas de los bailes gitanos —la siguiriya, la soleá, la petenera—

mueren alucinadas o ardidas por el ritmo del baile, en el que reina el duende, o por la llama de la pasión. A veces, como en el poema «Sorpresa», el muerto es un desconocido, y el enigma de su muerte queda flotando en el aire secreto de la madrugada.

La personificación de la muerte es una constante en el *Poema del cante jondo*. La vemos caminar, en el poema «Clamor», coronada de azahares marchitos y cantando una canción «en su vihuela blanca». En «Malagueña», la vemos entrar y salir de la taberna, mientras «pasan caballos negros / y gente siniestra / por los hondos caminos / de la guitarra». Y en «Café cantante» una bailarina, la Parrala, «sostiene / una conversación / con la muerte». El temperamento estoico del andaluz, su fatalismo ante la muerte, encuentra su expresión en un poema como «Lamentación de la muerte», en que el protagonista, quizá un viejo torero o cantaor, se lamenta con resignación de lo que le espera después de haber vivido y triunfado: «un velón y una manta / en el suelo». Siempre hay una luz funeraria para iluminar tristemente al muerto, sea el velón, el cirio, el candil o el farol, que arrojan una luz lívida sobre el cadáver en los largos velatorios de los pueblos andaluces. En el poema «Candil» su llama temblorosa se asoma gravemente «a los ojos redondos / del gitanillo muerto».

Otras veces Lorca hace aparecer a la muerte metamorfoseada en un personaje misterioso, como el Jinete que acompaña, camino de Granada, al Amargo y le regala un cuchillo de oro, que va a herirle de muerte, en el «Diálogo del Amargo», del *Poema del cante jondo*. Las armas blancas que aparecen en el *Poema* y en el *Romancero gitano* —la navaja, el cuchillo, el puñal, la espada, la flecha...— tienen un papel importante: son instrumentos imantados que fatalmente amenazan y merodean el cuerpo del gitano hasta hundirse en él, haciendo brotar la sangre. No importa que el poeta no nombre a la muerte. Allí está, como dice el propio Lorca, «respirando detrás de la puerta», acechando con su arma preferida: el cuchillo, el puñal, la navaja. O contemplando, misteriosa, desde las torres de Córdoba, al jinete que quiere ir a la ciudad, pero que sabe que nunca llegará a ella: «¡Ay que la muerte me espera / antes de llegar a Córdoba!» Esta bellísima «Canción de jinete», de otro libro de Lorca, *Canciones*, algo posterior al *Poema del cante jondo*, continúa el tema del Amargo, al que acabo de aludir: la muerte interrumpe misteriosamente el camino del gitano hacia la felicidad, hacia el goce sensual de vivir: el Amargo muere a las puertas de Granada; el jinete de la *Canción* antes de llegar a Córdoba. Los *cien jinetes andaluces del naranjal*, en el poema «Camino», no llegarán *ni a*

Córdoba ni a Sevilla, pues sus soñolientos caballos los llevarán «al laberinto de las cruces / donde tiembla el cantar», es decir, al cementerio. Esos cien jinetes enlutados que caminan por el naranjal pueden ser los mismos que aparecen muertos, mientras sus jacas caracolean, en «Muerte de la Petenera», y los vemos aparecer de nuevo en otro poemita del *Poema del cante jondo*, «De Profundis». Son los cien enamorados que «duermen para siempre / bajo la tierra seca».

El tema de los presagios y la amenaza de muerte continúa en el *Romancero gitano*, libro en que la muerte reina todopoderosa. En casi la mitad de los dieciocho romances que lo integran, mueren trágicamente sus protagonistas: unos, heridos por armas blancas, como Juan Antonio el de Montilla («Reyerta») o Antoñito el Camborio; otros, alucinados o destruidos por la pena negra, como la gitana del «Romance sonámbulo», o Soledad Montoya, la protagonista del «Romance de la pena negra», esa Pena con mayúscula, en la que veía Federico la raíz del pueblo andaluz, y el personaje central de su libro. El Amargo del *Poema del cante jondo* («Diálogo del Amargo», con que se cierra el libro) reaparece en otro de los romances gitanos, el «Romance del emplazado», muriendo misteriosamente en la fecha precisa —el «veinticinco de junio»— que le habían predestinado.

Este personaje del Amargo obsesionaba a Federico, quien nos ha contado, en sus «Comentarios al *Romancero gitano*»[4], cómo conoció al Amargo, que fue un personaje real. «Teniendo yo ocho años y mientras jugaba en mi casa de Fuente Vaqueros, se asomó a la ventana un muchacho que a mí me pareció un gigante y que me miró con un desprecio y un odio que nunca olvidaré y escupió dentro al retirarse. A lo lejos una voz lo llamó: ¡Amargo, ven! Desde entonces el Amargo fue creciendo en mí hasta que pude descifrar por qué me miró de aquella manera, ángel de la muerte y la desesperanza que guarda las puertas de Andalucía.» El gitanillo del «Romance de la luna, luna» muere embrujado por la luna, que baja a la fragua metamorfoseada en bailarina gitana para hechizar al niño con su danza mortal. Y aún queda el más misterioso protogonista del *Romancero*: el *muerto de amor*, que antes de morir pedía a su madre que se enteraran los señores de su muerte: «Pon telegramas azules / que vayan del Sur al Norte.» Pero nada sabemos de ese joven muerto en flor: ni su nombre, ni la causa concreta de su muerte.

[4] Publicados en la *Revista de Occidente*, núm. 77, agosto de 1969.

Lorca nos dice en sus comentarios al libro que su propósito al escribirlo fue hacer el poema de Andalucía, y si lo llamó *Romancero gitano* fue «porque el gitano es lo más elevado, lo más profundo, y más aristocrático de mi país, lo más representativo de su modo y lo que guarda el ascua, la sangre y el alfabeto de la verdad andaluza y universal». «Un libro —añade— donde apenas si está expresada la Andalucía que se ve, pero donde está temblando la que no se ve... Un libro antipintoresco, antifolklórico, antiflamenco...», es decir, antiandalucista, pero donde se presiente la Andalucía más profunda y secreta, más misteriosa, la honda *Andalucía del llanto*, como el propio Federico la llama en un poema. Por otra parte, Lorca confesó que con el *Romancero gitano* había intentado fundir el romance narrativo con el romance lírico, manteniendo lo sustantivo de ambos. El haber logrado plenamente este objetivo, dando calidad lírica al relato o la anécdota, es lo que explica su enorme éxito. Pero a ello habría que añadir la afortunada mezcla de lo real y lo mítico y simbólico. Las notas realistas —personajes, precisión geográfica, costumbres gitanas— conviven en el mismo espacio del romance con figuras míticas y personajes irreales y fantásticos. Esta mezcla, que el lector acepta sin esfuerzo, es uno de los grandes aciertos del libro. Como lo es también, en el plano de la expresión, la mezcla de elementos populares y cultos. A un lenguaje a veces coloquial añade Lorca una gran riqueza de imágenes y metáforas y un diálogo dramático, inserto en el relato, de gran fuerza. La importancia de los elementos populares y tradicionales en la poesía de Lorca ha sido ya subrayada por la crítica[5], y no pocos de los mitos y las expresiones de sus poemas y romances arrancan de una tradición o leyenda popular. Entre otros ejemplos podría citarse el del romance «Preciosa y el aire», en el que el viento aparece metamorfoseado en un sátiro que corre tras la gitanilla para poseerla. El simbolismo erótico del viento aparece ya en nuestro cancionero popular, y el propio Lorca recoge esa tradición en su canción «Arbolé arbolé», en la que el viento, personificado en un «galán de torres», rodea con «su brazo gris» la cintura de una bella aceitunera. En otra canción, ésta no reunida en libro, titulada «Escuela», aparece el tema de la doncella que se casa con el viento.

El antropomorfismo o personificación de los elementos de la naturaleza es una constante en la obra de Lorca. En el «Romance de la

[5] Véase, por ejemplo, el trabajo de Daniel Devoto: «Notas sobre el elemento tradicional en la obra de García Lorca», incluido en *Federico García Lorca*, edición de Ildefonso Manuel Gil, col. «El escritor y la critica», Ed. Taurus, Madrid, 1973.

luna, luna» vemos a la luna metamorfoseada en una bailarina gitana con poder maléfico que baila en la fragua con su falda blanquísima para embrujar a un gitanillo, que muere del hechizo lunar. Pero hay que añadir que con frecuencia los símbolos que suele usar Lorca son polivalentes, como la luna —amenaza de muerte, pero también erotismo—, o el color verde, que puede anunciar la presencia de la muerte, o representar la esperanza o lo erótico. Lorca utiliza abundantemente los elementos de la naturaleza —flores, árboles, yerbas, frutas—, los animales, los colores y los aromas, con sentido simbólico, no siempre original, pues en ocasiones se limita a continuar una tradición popular, como en el caso de la adelfa, símbolo de la amarga frustración, o de la zumaya, el pájaro de mal agüero que aparece en el «Romance de la luna, luna». Pero siempre sabe recrear líricamente esos elementos tradicionales, fundiéndolos con imágenes originales de gran belleza. La síntesis afortunada de lo popular y lo culto, que tan rica tradición tiene en la poesía española —bastaría recordar a Lope y a Góngora— y el acierto con que Lorca consigue, en un mismo romance, la desrealización e idealización del espacio poético, manteniendo la precisión de lugares geográficos y de los nombres de personajes, prueban que en estos dos libros, el *Poema del cante jondo* y el

Romancero gitano, Lorca no se limitó a un neopopularismo fácil sino que, dueño de una consciencia artística plena, aspiró a una renovación sugestiva y coherente del romance y de la canción, logrando alcanzar la diana más difícil en el arte: la originalidad y la personalidad de una voz poética propia.

La rica fantasía del poeta dotó al mundo de los gitanos de una coloración deslumbrante, recreando viejos mitos y añadiendo un sistema de símbolos y metáforas sorprendentes. Lo que pueda haber de tópico en algunos motivos de los romances —en su mayoría historias de amores, penas y luchas de gitanos— queda olvidado ante el tratamiento mítico y dramático de los temas. El mundo de misterio y de sensualidad de los gitanos cobra así una fuerza y una emoción que la presencia de la muerte, inseparable de lo que Lorca llamaba el duende, hace aún más intensas.

Cuando el *Romancero gitano* se publicó en julio de 1928, editado por la *Revista de Occidente* con el título «Primer Romancero gitano» —lo que parecía sugerir que Lorca pensaba en una posible continuación del libro—, muchos de sus romances, cuya composición había comenzado en 1924, eran ya conocidos. No sólo había publicado algunos en las revistas literarias de la época —*Verso y prosa*, *Litoral*, *Revista de Occidente*— sino que, dos años antes, en abril de 1926, hizo una lectura comentada, aunque no completa, del libro en el Ateneo de Valladolid, presentado por Jorge Guillén. El éxito del *Romancero* fue muy grande, debido en parte a que algunos de los romances, sobre todo «La casada infiel», fueron pieza imprescindible en toda recitación poética, tanto de los recitadores profesionales como de los aficionados. Esta popularización del libro disgustó, sin embargo, a Federico, que se vio convertido en «el poeta de los gitanos», leyenda contra la que protestó una y otra vez. Un año antes de aparecer el libro, escribió a José Bergamín: «A ver si este año nos reunimos y dejas de considerarme como un *gitano;* mito que no sabes cómo me perjudica y lo *falso* que es su esencia, aunque no lo parezca en la forma.» Y en la «Nota autobiográfica» que redactó en Nueva York para un amigo americano de la Universidad de Columbia, escribió estas palabras: «El gitanismo es tan sólo un tema de los muchísimos que tiene el poeta, pero no fundamental en su obra, ni mucho menos persistente. El *Romancero gitano* es un libro en el que el poeta ha acertado por el tono del romance y por tratarse de un tema de su tierra natal, pero no se puede clasificar a este poeta de ambición más amplia como un cantor de raza y nada más.» Es muy probable que uno de los motivos que decidieron a Federico a emprender el viaje a Estados

Unidos un año después de la publicación del *Romancero*, en mayo de 1929, fuese esa leyenda del *poeta de los gitanos* que tanto le molestaba y a la que contribuyeron algunos críticos y recitadores tópicos. En un momento, 1929, en que algunos de los mejores poetas de su generación, Aleixandre, Cernuda, Alberti, se inclinaban a una poesía de ambición universal con influencias surrealistas, tenía que disgustarle que su prestigio se apoyase sólo en un libro localizado en un ambiente gitano y andaluz. Y una manera de huir de aquella leyenda fue el viaje a Estados Unidos y el encuentro con un mundo radicalmente opuesto al de Andalucía. Es significativo que, al poco tiempo de llegar a Nueva York, en la «Nota autobiográfica» citada más arriba, escribiese Lorca: «El viaje a Nueva York puede decirse que enriquece y cambia la obra del poeta, ya que es la primera vez que éste se enfrenta con un mundo nuevo.» Lorca tuvo, pues, plena consciencia de la crisis literaria que experimentó a raíz del éxito del *Romancero gitano*, y asimismo de la necesidad de cambiar su mundo poético y su estilo. La consecuencia de ese cambio fue, como es sabido, *Poeta en Nueva York*. Y, sin embargo, algo hay de común en esos dos libros tan distintos y tan admirables. En ambos canta a una raza marginada y artista: los gitanos en el *Romancero*, los negros en *Poeta en Nueva York*. Y si en el primero el elemento opresor era la Guardia civil, en el segundo estaba representado por la máquina del industrialismo yanqui, del capitalismo deshumanizador de lo más puro del ser humano.

JOSÉ LUIS CANO

1

ROMANCE DE LA LUNA

A CONCHITA GARCÍA LORCA

La luna vino a la fragua
con su polisón de nardos.
El niño la mira mira.
El niño la está mirando.
En el aire conmovido
mueve la luna sus brazos
y enseña, lúbrica y pura,
sus senos de duro estaño.
Huye luna, luna, luna.
Si vinieran los gitanos,
harían con tu corazón
collares y anillos blancos.
Niño, déjame que baile.
Cuando vengan los gitanos,
te encontrarán sobre el yunque
con los ojillos cerrados.

Huye luna, luna, luna,
que ya siento sus caballos.
Niño, déjame, no pises
mi blancor almidonado.

El jinete se acercaba
tocando el tambor del llano.
Dentro de la fragua el niño,
tiene los ojos cerrados.

Por el olivar venían,
bronce y sueño, los gitanos.
Las cabezas levantadas
y los ojos entornados.

¡Cómo canta la zumaya,
ay cómo canta en el árbol!
Por el cielo va la luna
con un niño de la mano.

Dentro de la fragua lloran,
dando gritos, los gitanos.
El aire la vela, vela.
El aire la está velando.

2

PRECIOSA Y EL AIRE

A DÁMASO ALONSO

Su luna de pergamino
Preciosa tocando viene
por un anfibio sendero
de cristales y laureles.
El silencio sin estrellas,
huyendo del sonsonete,
cae donde el mar bate y canta
su noche llena de peces.
En los picos de la sierra
los carabineros duermen
guardando las blancas torres
donde viven los ingleses.
Y los gitanos del agua
levantan por distraerse,
glorietas de caracolas
y ramas de pino verde.

*

Su luna de pergamino
Preciosa tocando viene.
Al verla se ha levantado
el viento que nunca duerme.
San Cristobalón desnudo,
lleno de lenguas celestes,
mira a la niña tocando
una dulce gaita ausente.

Niña, deja que levante
tu vestido para verte.
Abre en mis dedos antiguos
la rosa azul de tu vientre.

Preciosa tira el pandero
y corre sin detenerse.
El viento-hombrón la persigue
con una espada caliente.

Frunce su rumor el mar.
Los olivos palidecen.
Cantan las flautas de umbría
y el liso gong de la nieve.

¡Preciosa, corre, Preciosa,
que te coge el viento verde!

¡Preciosa, corre, Preciosa!
¡Míralo por donde viene!
Sátiro de estrellas bajas
con sus lenguas relucientes.

*

Preciosa, llena de miedo,
entra en la casa que tiene,
más arriba de los pinos,
el cónsul de los ingleses.

Asustados por los gritos
tres carabineros vienen,
sus negras capas ceñidas
y los gorros en las sienes.

El inglés da a la gitana
un vaso de tibia leche,
y una copa de ginebra
que Preciosa no se bebe.

Y mientras cuenta, llorando,
su aventura a aquella gente,
en las tejas de pizarra
el viento, furioso, muerde.

3

REYERTA

A RAFAEL MÉNDEZ

En la mitad del barranco
las navajas de Albacete,
bellas de sangre contraria,
relucen como los peces.
Una dura luz de naipe
recorta en el agrio verde,
caballos enfurecidos
y perfiles de jinetes.
En la copa de un olivo
lloran dos viejas mujeres.
El toro de la reyerta
se sube por las paredes.
Ángeles negros traían
pañuelos y agua de nieve.
Ángeles con grandes alas
de navajas de Albacete.

Juan Antonio el de Montilla
rueda muerto la pendiente,
su cuerpo lleno de lirios
y una granada en las sienes.
Ahora monta cruz de fuego,
carretera de la muerte.

*

El juez, con guardia civil,
por los olivares viene.
Sangre resbalada gime
muda canción de serpiente.
Señores guardias civiles:
aquí pasó lo de siempre.
Han muerto cuatro romanos
y cinco cartagineses.

*

La tarde loca de higueras
y de rumores calientes
cae desmayada en los muslos
heridos de los jinetes.
Y ángeles negros volaban
por el aire del poniente.
Ángeles de largas trenzas
y corazones de aceite.

4
ROMANCE SONÁMBULO

A Gloria Giner y a Fernando de los Ríos

Verde que te quiero verde.
Verde viento. Verdes ramas.
El barco sobre la mar
y el caballo en la montaña.
Con la sombra en la cintura
ella sueña en su baranda,
verde carne, pelo verde,
con ojos de fría plata.
Verde que te quiero verde.
Bajo la luna gitana,
las cosas la están mirando
y ella no puede mirarlas.

*

Verde que te quiero verde.
Grandes estrellas de escarcha,

vienen con el pez de sombra
que abre el camino del alba.
La higuera frota su viento
con la lija de sus ramas,
y el monte, gato garduño,
eriza sus pitas agrias.
¿Pero quién vendrá? ¿Y por dónde...?
Ella sigue en su baranda,
verde carne, pelo verde,
soñando en la mar amarga.

*

Compadre, quiero cambiar
mi caballo por su casa,
mi montura por su espejo,
mi cuchillo por su manta.
Compadre, vengo sangrando,
desde los puertos de Cabra.
Si yo pudiera, mocito,
este trato se cerraba.
Pero yo ya no soy yo.
Ni mi casa es ya mi casa.
Compadre, quiero morir
decentemente en mi cama.
De acero, si puede ser,
con las sábanas de holanda.

¿No ves la herida que tengo
desde el pecho a la garganta?
Trescientas rosas morenas
lleva tu pechera blanca.
Tu sangre rezuma y huele
alrededor de tu faja.
Pero yo ya no soy yo.
Ni mi casa es ya mi casa.
Dejadme subir al menos
hasta las altas barandas,
¡dejadme subir!, dejadme
hasta las verdes barandas.
Barandales de la luna
por donde retumba el agua.

*

Ya suben los dos compadres
hacia las altas barandas.
Dejando un rastro de sangre.
Dejando un rastro de lágrimas.
Temblaban en los tejados
farolillos de hojalata.
Mil panderos de cristal,
herían la madrugada.

*

Verde que te quiero verde,
verde viento, verdes ramas.
Los dos compadres subieron.
El largo viento, dejaba
en la boca un raro gusto
de hiel, de menta y de albahaca.
¡Compadre! ¿Dónde está, dime?
¿Dónde está tu niña amarga?
¡Cuántas veces te esperó!
¡Cuántas veces te esperara,
cara fresca, negro pelo,
en esta verde baranda!

*

Sobre el rostro del aljibe
se mecía la gitana.
Verde carne, pelo verde,
con ojos de fría plata.
Un carámbano de luna
la sostiene sobre el agua.
La noche se puso íntima
como una pequeña plaza.
Guardias civiles borrachos
en la puerta golpeaban.

Verde que te quiero verde.
Verde viento. Verdes ramas.
El barco sobre la mar.
Y el caballo en la montaña.

5
LA MONJA GITANA

A José Moreno Villa

Silencio de cal y mirto.
Malvas en las hierbas finas.
La monja borda alhelíes
sobre una tela pajiza.
Vuelan en la araña gris,
siete pájaros del prisma.
La iglesia gruñe a lo lejos
como un oso panza arriba.
¡Qué bien borda! ¡Con qué gracia!
Sobre la tela pajiza,
ella quisiera bordar
flores de su fantasía.
¡Qué girasol! ¡Qué magnolia
de lentejuelas y cintas!
¡Qué azafranes y qué lunas,
en el mantel de la misa!

Cinco toronjas se endulzan
en la cercana cocina.
Las cinco llagas de Cristo
cortadas en Almería.
Por los ojos de la monja
galopan dos caballistas.
Un rumor último y sordo
le despega la camisa,
y al mirar nubes y montes
en las yertas lejanías,
se quiebra su corazón
de azúcar y yerbaluisa.
¡Oh!, qué llanura empinada
con veinte soles arriba.
¡Qué ríos puestos de pie
vislumbra su fantasía!
Pero sigue con sus flores,
mientras que de pie, en la brisa,
la luz juega el ajedrez
alto de la celosía.

6

LA CASADA INFIEL

A LYDIA CABRERA y a su negrita

Y que yo me la llevé al río
creyendo que era mozuela,
pero tenía marido.
Fue la noche de Santiago
y casi por compromiso.
Se apagaron los faroles
y se encendieron los grillos.
En las últimas esquinas
toqué sus pechos dormidos,
y se me abrieron de pronto
como ramos de jacintos.
El almidón de su enagua
me sonaba en el oído,
como una pieza de seda
rasgada por diez cuchillos.
Sin luz de plata en sus copas

— La casada infiel —

Y que yo me la llevé al río
creyendo que era mozuela
pero tenía un marido.
Fue la noche de Santiago
y casi por compromiso
Se apagaron los faroles
y se encendieron los grillos.
En las últimas esquinas
Toqué sus pechos dormidos
y se me abrieron de pronto
como ramos de jacintos.
El almidón de su enagua
me sonaba en el oído
como una pieza de seda
rasgada por diez cuchillos.
Sin luz de plata en sus ramas
los árboles han crecido
y un horizonte de perros
ladra muy lejos del río.
Pasadas las zarzamoras,
los juncos y los espinos
bajo su mata de pelo
hice un hoyo sobre el limo
Yo me quité la corbata
y ella se quitó el vestido
Yo el cinturón con revólver
y ella sus cuatro corpiños
Ni nardos, ni caracolas

Página del manuscrito, con ligeras variantes respecto del texto impreso en la primera edición de 1928

los árboles han crecido,
y un horizonte de perros
ladra muy lejos del río.

*

Pasadas las zarzamoras,
los juncos y los espinos,
bajo su mata de pelo
hice un hoyo sobre el limo.
Yo me quité la corbata.
Ella se quitó el vestido.
Yo el cinturón con revólver.
Ella sus cuatro corpiños.
Ni nardos ni caracolas
tienen el cutis tan fino,
ni los cristales con luna
relumbran con ese brillo.
Sus muslos se me escapaban
como peces sorprendidos,
la mitad llenos de lumbre,
la mitad llenos de frío.
Aquella noche corrí
el mejor de los caminos,
montado en potra de nácar
sin bridas y sin estribos.

No quiero decir, por hombre,
las cosas que ella me dijo.
La luz del entendimiento
me hace ser muy comedido.
Sucia de besos y arena
yo me la llevé del río.
Con el aire se batían
las espadas de los lirios.

Me porté como quien soy.
Como un gitano legítimo.
La regalé un costurero
grande de raso pajizo,
y no quise enamorarme
porque teniendo marido
me dijo que era mozuela
cuando la llevaba al río.

7

ROMANCE DE LA PENA NEGRA

A José Navarro Pardo

Las piquetas de los gallos
cavan buscando la aurora,
cuando por el monte oscuro
baja Soledad Montoya.
Cobre amarillo, su carne,
huele a caballo y a sombra.
Yunques ahumados sus pechos,
gimen canciones redondas.
Soledad: ¿por quién preguntas
sin compaña y a estas horas?
Pregunte por quien pregunte,
dime: ¿a ti qué se te importa?
Vengo a buscar lo que busco,
mi alegría y mi persona.
Soledad de mis pesares,
caballo que se desboca,

al fin encuentra la mar
y se lo tragan las olas.
No me recuerdes el mar,
que la pena negra, brota
en las tierras de aceituna
bajo el rumor de las hojas.
¡Soledad, qué pena tienes!
¡Qué pena tan lastimosa!
Lloras zumo de limón
agrio de espera y de boca.
¡Qué pena tan grande! Corro
mi casa como una loca,
mis dos trenzas por el suelo,
de la cocina a la alcoba.
¡Qué pena! Me estoy poniendo
de azabache, carne y ropa.
¡Ay mis camisas de hilo!
¡Ay mis muslos de amapola!
Soledad: lava tu cuerpo
con agua de las alondras,
y deja tu corazón
en paz, Soledad Montoya.

*

Por abajo canta el río:
volante de cielo y hojas.
Con flores de calabaza,
la nueva luz se corona.
¡Oh pena de los gitanos!
Pena limpia y siempre sola.
¡Oh pena de cauce oculto
y madrugada remota!

8
SAN MIGUEL
(GRANADA)

A DIEGO BUIGAS DE DALMÁU

Se ven desde las barandas,
por el monte, monte, monte,
mulos y sombras de mulos
cargados de girasoles.

Sus ojos en las umbrías
se empañan de inmensa noche.
En los recodos del aire,
cruje la aurora salobre.

Un cielo de mulos blancos
cierra sus ojos de azogue
dando a la quieta penumbra
un final de corazones.

Y el agua se pone fría
para que nadie la toque.
Agua loca y descubierta
por el monte, monte, monte.

*

San Miguel lleno de encajes
en la alcoba de su torre,
enseña sus bellos muslos
ceñidos por los faroles.

Arcángel domesticado
en el gesto de las doce,
finge una cólera dulce
de plumas y ruiseñores.
San Miguel canta en los vidrios;
efebo de tres mil noches,
fragante de agua colonia
y lejano de las flores.

*

El mar baila por la playa,
un poema de balcones.
Las orillas de la luna
pierden juncos, ganan voces.
Vienen manolas comiendo

semillas de girasoles,
los culos grandes y ocultos
como planetas de cobre.
Vienen altos caballeros
y damas de triste porte,
morenas por la nostalgia
de un ayer de ruiseñores.
Y el obispo de Manila,
ciego de azafrán y pobre,
dice misa con dos filos
para mujeres y hombres

*

San Miguel se estaba quieto
en la alcoba de su torre,
con las enaguas cuajadas
de espejitos y entredoses.

San Miguel, rey de los globos
y de los números nones,
en el primor berberisco
de gritos y miradores.

9
SAN RAFAEL

(CÓRDOBA)

A JUAN IZQUIERDO CROSELLES

I

Coches cerrados llegaban
a las orillas de juncos
donde las ondas alisan
romano torso desnudo.
Coches, que el Guadalquivir
tiende en su cristal maduro,
entre láminas de flores
y resonancias de nublos.
Los niños tejen y cantan
el desengaño del mundo,
cerca de los viejos coches
perdidos en el nocturno.
Pero Córdoba no tiembla
bajo el misterio confuso,

pues si la sombra levanta
la arquitectura del humo,
un pie de mármol afirma
su casto fulgor enjuto.
Pétalos de lata débil
recaman los grises puros
de la brisa, desplegada
sobre los arcos de triunfo.
Y mientras el puente sopla
diez rumores de Neptuno,
vendedores de tabaco
huyen por el roto muro.

II

Un solo pez en el agua
que a las dos Córdobas junta:
Blanda Córdoba de juncos.
Córdoba de arquitectura.
Niños de cara impasible
en la orilla se desnudan,
aprendices de Tobías
y Merlines de cintura,
para fastidiar al pez
en irónica pregunta

si quiere flores de vino
o saltos de media luna.
Pero el pez que dora el agua
y los mármoles enluta,
les da lección y equilibrio
de solitaria columna.
El Arcángel aljamiado
de lentejuelas oscuras,
en el mitin de las ondas
buscaba rumor y cuna.

*

Un solo pez en el agua.
Dos Córdobas de hermosura.
Córdoba quebrada en chorros.
Celeste Córdoba enjuta.

10
SAN GABRIEL

(SEVILLA)

A. D. AGUSTÍN VIÑUALES

I

Un bello niño de junco,
anchos hombros, fino talle,
piel de nocturna manzana,
boca triste y ojos grandes,
nervio de plata caliente,
ronda la desierta calle.
Sus zapatos de charol
rompen las dalias del aire,
con los dos ritmos que cantan
breves lutos celestiales.
En la ribera del mar
no hay palma que se le iguale,
ni emperador coronado
ni lucero caminante.

Cuando la cabeza inclina
sobre su pecho de jaspe,
la noche busca llanuras
porque quiere arrodillarse.
Las guitarras suenan solas
para San Gabriel Arcángel,
domador de palomillas
y enemigo de los sauces.
San Gabriel: El niño llora
en el vientre de su madre.
No olvides que los gitanos
te regalaron el traje.

II

Anunciación de los Reyes,
bien lunada y mal vestida,
abre la puerta al lucero
que por la calle venía.
El Arcángel San Gabriel,
entre azucena y sonrisa,
biznieto de la Giralda,
se acercaba de visita.
En su chaleco bordado
grillos ocultos palpitan.
Las estrellas de la noche
se volvieron campanillas.

San Gabriel: Aquí me tienes
con tres clavos de alegría.
Tu fulgor abre jazmines
sobre mi cara encendida.
Dios te salve, Anunciación.
Morena de maravilla.
Tendrás un niño más bello
que los tallos de la brisa.
¡Ay San Gabriel de mis ojos!
¡Gabrielillo de mi vida!,
para sentarte yo sueño
un sillón de clavellinas.
Dios te salve, Anunciación,
bien lunada y mal vestida.
Tu niño tendrá en el pecho
un lunar y tres heridas.
¡Ay San Gabriel que reluces!
¡Gabrielillo de mi vida!
En el fondo de mis pechos
ya nace la leche tibia.
Dios te salve, Anunciación.
Madre de cien dinastías.
Áridos lucen tus ojos,
paisajes de caballista.

*

El niño canta en el seno
de Anunciación sorprendida.
Tres balas de almendra verde
tiemblan en su vocecita.

Ya San Gabriel en el aire
por una escala subía.
Las estrellas de la noche
se volvieron siemprevivas.

11
PRENDIMIENTO DE ANTOÑITO EL CAMBORIO EN EL CAMINO DE SEVILLA

A MARGARITA XIRGU

Antonio Torres Heredia,
hijo y nieto de Camborios,
con una vara de mimbre
va a Sevilla a ver los toros.
Moreno de verde luna
anda despacio y garboso.
Sus empavonados bucles
le brillan entre los ojos.
A la mitad del camino
cortó limones redondos,
y los fue tirando al agua
hasta que la puso de oro.
Y a la mitad del camino,
bajo las ramas de un olmo,

guardia civil caminera
lo llevó codo con codo.

*

El día se va despacio,
la tarde colgada a un hombro,
dando una larga torera
sobre el mar y los arroyos.
Las aceitunas aguardan
la noche de Capricornio,
y una corta brisa, ecuestre,
salta los montes de plomo.
Antonio Torres Heredia,
hijo y nieto de Camborios,
viene sin vara de mimbre
entre los cinco tricornios.

Antonio, ¿quién eres tú?
Si te llamaras Camborio,
hubieras hecho una fuente
de sangre con cinco chorros.
Ni tú eres hijo de nadie,
ni legítimo Camborio.
¡Se acabaron los gitanos
que iban por el monte solos!
Están los viejos cuchillos
tiritando bajo el polvo.

A las nueve de la noche
lo llevan al calabozo,
mientras los guardias civiles
beben limonada todos.
Y a las nueve de la noche
le cierran el calabozo,
mientras el cielo reluce
como la grupa de un potro.

12

MUERTE DE ANTOÑITO EL CAMBORIO

A José Antonio Rubio Sacristán

Voces de muerte sonaron
cerca del Guadalquivir.
Voces antiguas que cercan
voz de clavel varonil.
Les clavó sobre las botas
mordiscos de jabalí.
En la lucha daba saltos
jabonados de delfín.
Bañó con sangre enemiga
su corbata carmesí,
pero eran cuatro puñales
y tuvo que sucumbir.
Cuando las estrellas clavan
rejones al agua gris,
cuando los erales sueñan
verónicas de alhelí,

voces de muerte sonaron
cerca del Guadalquivir.

*

Antonio Torres Heredia,
Camborio de dura crin,
moreno de verde luna,
voz de clavel varonil:
¿Quién te ha quitado la vida
cerca del Guadalquivir?
Mis cuatro primos Heredias
hijos de Benamejí.
Lo que en otros no envidiaban,
ya lo envidiaban en mí.
Zapatos color corinto,
medallones de marfil,
y este cutis amasado
con aceituna y jazmín.
¡Ay Antoñito el Camborio,
digno de una Emperatriz!
Acuérdate de la Virgen
porque te vas a morir.
¡Ay Federico García,
llama a la Guardia Civil!
Ya mi talle se ha quebrado
como caña de maíz.

Tres golpes de sangre tuvo
y se murió de perfil.
Viva moneda que nunca
se volverá a repetir.
Un ángel marchoso pone
su cabeza en un cojín.
Otros de rubor cansado,
encendieron un candil.
Y cuando los cuatro primos
llegan a Benamejí,
voces de muerte cesaron
cerca del Guadalquivir.

13
MUERTO DE AMOR

A Margarita Manso

¿Qué es aquello que reluce
por los altos corredores?
Cierra la puerta, hijo mío,
acaban de dar las once.
En mis ojos, sin querer,
relumbran cuatro faroles.
Será que la gente aquélla
estará fregando el cobre.

*

Ajo de agónica plata
la luna menguante, pone
cabelleras amarillas
a las amarillas torres.
La noche llama temblando
al cristal de los balcones,

perseguida por los mil
perros que no la conocen,
y un olor de vino y ámbar
viene de los corredores.

*

Brisas de caña mojada
y rumor de viejas voces,
resonaban por el arco
roto de la media noche.
Bueyes y rosas dormían.
Solo por los corredores
las cuatro luces clamaban
con el fulgor de San Jorge.
Tristes mujeres del valle
bajaban su sangre de hombre,
tranquila de flor cortada
y amarga de muslo joven.
Viejas mujeres del río
lloraban al pie del monte,
un minuto intransitable
de cabelleras y nombres.
Fachadas de cal, ponían
cuadrada y blanca la noche.
Serafines y gitanos
tocaban acordeones.

Madre, cuando yo me muera,
que se enteren los señores.
Pon telegramas azules
que vayan del Sur al Norte.
Siete gritos, siete sangres,
siete adormideras dobles,
quebraron opacas lunas
en los oscuros salones.
Lleno de manos cortadas
y coronitas de flores,
el mar de los juramentos
resonaba, no sé dónde.
Y el cielo daba portazos
al brusco rumor del bosque,
mientras clamaban las luces
en los altos corredores.

14

ROMANCE DEL EMPLAZADO

Para Emilio Aladrén

¡Mi soledad sin descanso!
Ojos chicos de mi cuerpo
y grandes de mi caballo,
no se cierran por la noche
ni miran al otro lado
donde se aleja tranquilo
un sueño de trece barcos.
Sino que limpios y duros
escuderos desvelados,
mis ojos miran un norte
de metales y peñascos
donde mi cuerpo sin venas
consulta naipes helados.

*

Los densos bueyes del agua
embisten a los muchachos
que se bañan en las lunas
de sus cuernos ondulados.
Y los martillos cantaban
sobre los yunques sonámbulos,
el insomnio del jinete
y el insomnio del caballo.

*

El veinticinco de junio
le dijeron a el Amargo:
Ya puedes cortar si gustas
las adelfas de tu patio.
Pinta una cruz en la puerta
y por tu nombre debajo,
porque cicutas y ortigas
nacerán en tu costado,
y agujas de cal mojada
te morderán los zapatos.
Será de noche, en lo oscuro,
por los montes imantados,
donde los bueyes del agua
beben los juncos soñando.
Pide luces y campanas.
Aprende a cruzar las manos,

y gusta los aires fríos
de metales y peñascos.
Porque dentro de dos meses
yacerás amortajado.

*

Espadón de nebulosa
mueve en el aire Santiago.
Grave silencio, de espalda,
manaba el cielo combado.

*

El veinticinco de junio
abrió sus ojos Amargo,
y el veinticinco de agosto
se tendió para cerrarlos.
Hombres bajaban la calle
para ver al emplazado,
que fijaba sobre el muro
su soledad con descanso.
Y la sábana impecable,
de duro acento romano,
daba equilibrio a la muerte
con las rectas de sus paños.

15
ROMANCE DE LA GUARDIA CIVIL ESPAÑOLA

A JUAN GUERRERO,
Cónsul general de la Poesía

Los caballos negros son.
Las herraduras son negras.
Sobre las capas relucen
manchas de tinta y de cera.
Tienen, por eso no lloran,
de plomo las calaveras.
Con el alma de charol
vienen por la carretera.
Jorobados y nocturnos,
por donde animan ordenan
silencios de goma oscura
y miedos de fina arena.
Pasan, si quieren pasar,
y ocultan en la cabeza

una vaga astronomía
de pistolas inconcretas.

*

¡Oh ciudad de los gitanos!
En las esquinas banderas.
La luna y la calabaza
con las guindas en conserva.
¡Oh ciudad de los gitanos!
¿Quién te vio y no te recuerda?
Ciudad de dolor y almizcle,
con las torres de canela.

*

Cuando llegaba la noche,
noche que noche nochera,
los gitanos en sus fraguas
forjaban soles y flechas.
Un caballo malherido,
llamaba a todas las puertas.
Gallos de vidrio cantaban
por Jerez de la Frontera.
El viento, vuelve desnudo
la esquina de la sorpresa,

en la noche platinoche
noche, que noche nochera.

*

La Virgen y San José,
perdieron sus castañuelas,
y buscan a los gitanos
para ver si las encuentran.
La Virgen viene vestida
con un traje de alcaldesa,
de papel de chocolate
con los collares de almendras.
San José mueve los brazos
bajo una capa de seda.
Detrás va Pedro Domecq
con tres sultanes de Persia.
La media luna, soñaba
un éxtasis de cigüeña.
Estandartes y faroles
invaden las azoteas.
Por los espejos sollozan
bailarinas sin caderas.
Agua y sombra, sombra y agua
por Jerez de la Frontera.

*

¡Oh ciudad de los gitanos!
En las esquinas banderas.
Apaga tus verdes luces
que viene la benemérita.
¡Oh ciudad de los gitanos!
¿Quién te vio y no te recuerda?
Dejadla lejos del mar,
sin peines para sus crenchas.

*

Avanzan de dos en fondo
a la ciudad de la fiesta.
Un rumor de siemprevivas
invade las cartucheras.
Avanzan de dos en fondo
Doble nocturno de tela.
El cielo, se les antoja,
una vitrina de espuelas.

*

La ciudad libre de miedo,
multiplicaba sus puertas.
Cuarenta guardias civiles
entran a saco por ellas.
Los relojes se pararon,
y el coñac de las botellas

se disfrazó de noviembre
para no infundir sospechas.
Un vuelo de gritos largos
se levantó en las veletas.
Los sables cortan las brisas
que los cascos atropellan.
Por las calles de penumbra
huyen las gitanas viejas
con los caballos dormidos
y las orzas de monedas.
Por las calles empinadas
suben las capas siniestras,
dejando detrás fugaces
remolinos de tijeras.

En el portal de Belén
los gitanos se congregan.
San José, lleno de heridas,
amortaja a una doncella.
Tercos fusiles agudos
por toda la noche suenan.
La Virgen cura a los niños
con salivilla de estrella.
Pero la Guardia Civil
avanza sembrando hogueras,
donde joven y desnuda

la imaginación se quema.
Rosa la de los Camborios,
gime sentada en su puerta
con sus dos pechos cortados
puestos en una bandeja.
Y otras muchachas corrían
perseguidas por sus trenzas,
en un aire donde estallan
rosas de pólvora negra.
Cuando todos los tejados
eran surcos en la tierra,
el alba meció sus hombros
en largo perfil de piedra.

*

¡Oh ciudad de los gitanos!
La Guardia Civil se aleja
por un túnel de silencio
mientras las llamas te cercan.

¡Oh ciudad de los gitanos!
¿Quién te vio y no te recuerda?
Que te busquen en mi frente.
Juego de luna y arena.

TRES ROMANCES HISTÓRICOS

16

MARTIRIO DE SANTA OLALLA

A RAFAEL MARTÍNEZ NADAL

I

PANORAMA DE MÉRIDA

Por la calle brinca y corre
caballo de larga cola,
mientras juegan o dormitan
viejos soldados de Roma.
Medio monte de Minervas
abre sus brazos sin hojas.
Agua en vilo redoraba
las aristas de las rocas.
Noche de torsos yacentes
y estrellas de nariz rota,
aguarda grietas del alba
para derrumbarse toda.

De cuando en cuando sonaban
blasfemias de cresta roja.
Al gemir, la santa niña
quiebra el cristal de las copas.
La rueda afila cuchillos
y garfios de aguda comba:
Brama el toro de los yunques,
y Mérida se corona
de nardos casi despiertos
y tallos de zarzamora.

II

EL MARTIRIO

Flora desnuda se sube
por escalerillas de agua.
El Cónsul pide bandeja
para los senos de Olalla.
Un chorro de venas verdes
le brota de la garganta.
Su sexo tiembla enredado
como un pájaro en las zarzas.
Por el suelo, ya sin norma,
brincan sus manos cortadas

que aun pueden cruzarse en tenue
oración decapitada.
Por los rojos agujeros
donde sus pechos estaban
se ven cielos diminutos
y arroyos de leche blanca.
Mil arbolillos de sangre
le cubren toda la espalda
y oponen húmedos troncos
al bisturí de las llamas.
Centuriones amarillos
de carne gris, desvelada,
llegan al cielo sonando
sus armaduras de plata.
Y mientras vibra confusa
pasión de crines y espadas,
el Cónsul porta en bandeja
senos ahumados de Olalla.

III

INFIERNO Y GLORIA

Nieve ondulada reposa.
Olalla pende del árbol.
Su desnudo de carbón
tizna los aires helados.

Noche tirante reluce.
Olalla muerta en el árbol.
Tinteros de las ciudades
vuelcan la tinta despacio.
Negros maniquíes de sastre
cubren la nieve del campo,
en largas filas que gimen
su silencio mutilado.
Nieve partida comienza.
Olalla blanca en el árbol.
Escuadras de níquel juntan
los picos en su costado.

*

Una Custodia reluce
sobre los cielos quemados,
entre gargantas de arroyo
y ruiseñores en ramos.
¡Saltan vidrios de colores!
Olalla blanca en lo blanco.
Ángeles y serafines
dicen: Santo, Santo, Santo.

17
BURLA DE DON PEDRO A CABALLO

ROMANCE CON LAGUNAS

A JEAN CASSOU

ROMANCE DE DON PEDRO A CABALLO

Por una vereda
venía Don Pedro.
¡Ay cómo lloraba
el caballero!
Montado en un ágil
caballo sin freno,
venía en la busca
del pan y del beso.
Todas las ventanas
preguntan al viento,
por el llanto oscuro
del caballero.

PRIMERA LAGUNA

Bajo el agua
siguen las palabras.
Sobre el agua
una luna redonda
se baña,
dando envidia a la otra
¡tan alta!
En la orilla,
un niño,
ve las lunas y dice:
—¡Noche; toca los platillos!

SIGUE

A una ciudad lejana
ha llegado Don Pedro.
Una ciudad de oro
entre un bosque de cedros.
¿Es Belén? Por el aire
yergaluisa y romero.
Brillan las azoteas
y las nubes. Don Pedro
pasa por arcos rotos.

Dos mujeres y un viejo
con velones de plata
le salen al encuentro.
Los chopos dicen: No.
Y el ruiseñor: Veremos.

SEGUNDA LAGUNA

Bajo el agua
siguen las palabras.
Sobre el peinado del agua
un círculo de pájaros y llamas.
Y por los cañaverales,
testigos que conocen lo que falta.
Sueño concreto y sin norte
de madera de guitarra.

SIGUE

Por el camino llano
dos mujeres y un viejo
con velones de plata
van al cementerio.
Entre los azafranes

han encontrado muerto
el sombrío caballo
de Don Pedro.
Voz secreta de tarde
balaba por el cielo.
Unicornio de ausencia
rompe en cristal su cuerno.
La gran ciudad lejana
está ardiendo
y un hombre va llorando
tierras adentro.
Al Norte hay una estrella.
Al Sur un marinero.

ÚLTIMA LAGUNA

Bajo el agua
están las palabras.
Limo de voces perdidas.
Sobre la flor enfriada,
está Don Pedro olvidado,
¡ay!, jugando con las ranas.

18
THAMAR Y AMNÓN

Para Alfonso García-Valdecasas

La luna gira en el cielo
sobre las tierras sin agua
mientras el verano siembra
rumores de tigre y llama.
Por encima de los techos
nervios de metal sonaban.
Aire rizado venía
con los balidos de lana.
La tierra se ofrece llena
de heridas cicatrizadas,
o estremecida de agudos
cauterios de luces blancas.

*

Thamar estaba soñando
pájaros en su garganta,

al son de panderos fríos
y cítaras enlunadas.
Su desnudo en el alero,
agudo norte de palma,
pide copos a su vientre
y granizo a sus espaldas.
Thamar estaba cantando
desnuda por la terraza.
Alrededor de sus pies,
cinco palomas heladas.
Amnón, delgado y concreto,
en la torre la miraba,
llenas las ingles de espuma
y oscilaciones la barba.
Su desnudo iluminado
se tendía en la terraza,
con un rumor entre dientes
de flecha recién clavada.
Amnón estaba mirando
la luna redonda y baja,
y vio en la luna los pechos
durísimos de su hermana.

*

Amnón a las tres y media
se tendió sobre la cama.

Toda la alcoba sufría
con sus ojos llenos de alas.
La luz, maciza, sepulta
pueblos en la arena parda,
o descubre transitorio
coral de rosas y dalias.
Linfa de pozo oprimida
brota silencio en las jarras.
En el musgo de los troncos
la cobra tendida canta.
Amnón gime por la tela
fresquísima de la cama.
Yedra del escalofrío
cubre su carne quemada.
Thamar entró silenciosa
en la alcoba silenciada,
color de vena y Danubio,
turbia de huellas lejanas.
Thamar, bórrame los ojos
con tu fija madrugada.
Mis hilos de sangre tejen
volantes sobre tu falda.
Déjame tranquila, hermano.
Son tus besos en mi espalda
avispas y vientecillos
en doble enjambre de flautas.

Thamar, en tus pechos altos
hay dos peces que me llaman,
y en las yemas de tus dedos
rumor de rosa encerrada.

*

Los cien caballos del rey
en el patio relinchaban.
Sol en cubos resistía
la delgadez de la parra.
Ya la coge del cabello,
ya la camisa le rasga.
Corales tibios dibujan
arroyos en rubio mapa.

¡Oh, qué gritos se sentían
por encima de las casas!
Qué espesura de puñales
y túnicas desgarradas.
Por las escaleras tristes
esclavos suben y bajan.
Émbolos y muslos juegan
bajo las nubes paradas.
Alrededor de Thamar
gritan vírgenes gitanas

y otras recogen las gotas
de su flor martirizada.
Paños blancos enrojecen
en las alcobas cerradas.
Rumores de tibia aurora
pámpanos y peces cambian.

*

Violador enfurecido,
Amnón huye con su jaca.
Negros le dirigen flechas
en los muros y atalayas.
Y cuando los cuatro cascos
eran cuatro resonancias,
David con unas tijeras
cortó las cuerdas del arpa.

FIN DEL «ROMANCERO GITANO»

POEMA DEL CANTE JONDO

BALADILLA DE LOS TRES RÍOS

A Salvador Quintero

El río Guadalquivir
va entre naranjos y olivos.
Los dos ríos de Granada
bajan de la nieve al trigo.

¡Ay, amor
que se fue y no vino!

El río Guadalquivir
tiene las barbas granates.
Los dos ríos de Granada,
uno llanto y otro sangre.

¡Ay, amor
que se fue por el aire!

Para los barcos de vela
Sevilla tiene un camino;
por el agua de Granada
solo reman los suspiros.

¡Ay, amor
que se fue y no vino!

Guadalquivir, alta torre
y viento en los naranjales.
Dauro y Genil, torrecillas
muertas sobre los estanques.

¡Ay, amor
que se fue por el aire!

¡Quién dirá que el agua lleva
un fuego fatuo de gritos!

¡Ay, amor
que se fue y no vino!

Lleva azahar, lleva olivas,
Andalucía, a tus mares.

¡Ay, amor
que se fue por el aire!

POEMA DE LA SIGUIRIYA GITANA

A Carlos Morla Vicuña

PAISAJE

El campo
de olivos
se abre y se cierra
como un abanico.
Sobre el olivar
hay un cielo hundido
y una lluvia oscura
de luceros fríos.
Tiembla junco y penumbra
a la orilla del río.
Se riza el aire gris.
Los olivos,
están cargados
de gritos.

Una bandada
de pájaros cautivos,
que mueven sus larguísimas
colas en lo sombrío.

LA GUITARRA

Empieza el llanto
de la guitarra.
Se rompen las copas
de la madrugada.
Empieza el llanto
de la guitarra.
Es inútil
callarla.
Es imposible
callarla.
Llora monótona
como llora el agua,
como llora el viento
sobre la nevada.
Es imposible
callarla.
Llora por cosas
lejanas.

Arena del Sur caliente
que pide camelias blancas.
Llora flecha sin blanco,
la tarde sin mañana,
y el primer pájaro muerto
sobre la rama.
¡Oh guitarra!
Corazón malherido
por cinco espadas.

EL GRITO

La elipse de un grito,
va de monte
a monte.

Desde los olivos
será un arco iris negro
sobre la noche azul.

¡Ay!

Como un arco de viola,
el grito ha hecho vibrar
largas cuerdas del viento.

¡Ay!

(Las gentes de las cuevas
asoman sus velones.)

¡Ay!

EL SILENCIO

Oye, hijo mío, el silencio.
Es un silencio ondulado,
un silencio,
donde resbalan valles y ecos
y que inclina las frentes
hacia el suelo.

EL PASO DE LA SIGUIRIYA

Entre mariposas negras,
va una muchacha morena
junto a una blanca serpiente
de niebla.

Tierra de luz
cielo de tierra.

Va encadenada al temblor
de un ritmo que nunca llega;
tiene el corazón de plata
y un puñal en la diestra.

¿Adónde vas siguiriya
con un ritmo sin cabeza?
¿Qué luna recogerá
tu dolor de cal y adelfa?

Tierra de luz
cielo de tierra.

DESPUÉS DE PASAR

Los niños miran
un punto lejano.

Los candiles se apagan.
Unas muchachas ciegas
preguntan a la luna,
y por el aire ascienden
espirales de llanto.

Las montañas miran
un punto lejano.

Y DESPUÉS

Los laberintos
que crea el tiempo,
se desvanecen.

(Solo queda
el desierto.)

El corazón,
fuente del deseo,
se desvanece.

(Solo queda
el desierto.)

La ilusión de la aurora
y los besos,
se desvanecen.

Solo queda
el desierto.
Un ondulado
desierto.

POEMA DE LA SOLEÁ

A JORGE ZALAMEA

Tierra seca,
tierra quieta
de noches
inmensas.

(Viento en el olivar,
viento en la sierra.)

Tierra
vieja
del candil
y la pena.
Tierra
de las hondas cisternas.

Tierra
de la muerte sin ojos
y las flechas.

(Viento por los caminos.
Brisa en las alamedas.)

PUEBLO

Sobre el monte pelado
un calvario.
Agua clara
y olivos centenarios.
Por las callejas
hombres embozados,
y en las torres
veletas girando.
Eternamente
girando.
¡Oh pueblo perdido,
en la Andalucía del llanto!

PUÑAL

El puñal
entra en el corazón,
como la reja del arado
en el yermo.

No.
No me lo claves.
No.

El puñal,
como un rayo de sol,
incendia las terribles
hondonadas.

No.
No me lo claves.
No.

ENCRUCIJADA

Viento del Este;
un farol
y el puñal
en el corazón.
La calle
tiene un temblor
de cuerda
en tensión,
un temblor
de enorme moscardón.
Por todas partes
yo
veo el puñal
en el corazón.

¡AY!

El grito deja en el viento
una sombra de ciprés.

(Dejadme en este campo
llorando.)

Todo se ha roto en el mundo.
No queda más que el silencio.

(Dejadme en este campo
llorando.)

El horizonte sin luz
está mordido de hogueras.

(Ya os he dicho que me dejéis
en este campo
llorando.)

SORPRESA

Muerto se quedó en la calle
con un puñal en el pecho.
No lo conocía nadie.
¡Cómo temblaba el farol!
Madre.
¡Cómo temblaba el farolito
de la calle!
Era madrugada. Nadie
pudo asomarse a sus ojos
abiertos al duro aire.
Que muerto se quedó en la calle
que con un puñal en el pecho
y que no lo conocía nadie.

LA SOLEÁ

Vestida con mantos negros
piensa que el mundo es chiquito
y el corazón es inmenso.

Vestida con mantos negros.

Piensa que el suspiro tierno,
y el grito, desaparecen
en la corriente del viento.

Vestida con mantos negros.

Se dejó el balcón abierto
y al alba por el balcón
desembocó todo el cielo.

¡Ay, yayayayay,
que vestida con mantos negros!

CUEVA

De la cueva salen
largos sollozos.

(Lo cárdeno
sobre lo rojo.)

El gitano evoca
países remotos.

(Torres altas y hombres
misteriosos.)

En la voz entrecortada
van sus ojos.

(Lo negro
sobre lo rojo.)

Y la cueva encalada
tiembla en el oro.

(Lo blanco
sobre lo rojo.)

ENCUENTRO

Ni tú ni yo estamos
en disposición
de encontrarnos.
Tú... por lo que ya sabes.
¡Yo la he querido tanto!
Sigue esa veredita.
En las manos,
tengo los agujeros
de los clavos.
¿No ves cómo me estoy
desangrando?
No mires nunca atrás,
vete despacio
y reza como yo
a San Cayetano,
que ni tú ni yo estamos
en disposición
de encontrarnos.

ALBA

Campanas de Córdoba
en la madrugada.
Campanas de amanecer
en Granada.
Os sienten todas las muchachas
que lloran a la tierna
soleá enlutada.
Las muchachas
de Andalucía la alta
y la baja.
Las niñas de España,
de pie menudo
y temblorosas faldas,
que han llenado de luces
las encrucijadas.
¡Oh, campanas de Córdoba
en la madrugada,
y oh, campanas de amanecer
en Granada!

POEMA DE LA SAETA

A Francisco Iglesias

ARQUEROS

Los arqueros oscuros
a Sevilla se acercan.

Guadalquivir abierto.

Anchos sombreros grises,
largas capas lentas.

¡Ay Guadalquivir!

Vienen de los remotos
países de la pena.

Guadalquivir abierto.

Y van a un laberinto.
Amor, cristal y piedra.

¡Ay, Guadalquivir!

NOCHE

Cirio, candil,
farol y luciérnaga.

La constelación
de la saeta.

Ventanitas de oro
tiemblan,
y en la aurora se mecen
cruces superpuestas.

Cirio, candil,
farol y luciérnaga.

SEVILLA

Sevilla es una torre
llena de arqueros finos.

Sevilla para herir,
Córdoba para morir.

Una ciudad que acecha
largos ritmos,
y los enrosca
como laberintos.
Como tallos de parra
encendidos.

¡Sevilla para herir!

Bajo el arco del cielo,
sobre su llano limpio,

dispara la constante
saeta de su río.

¡Córdoba para morir!

Y loca de horizonte
mezcla en su vino,
lo amargo de Don Juan
y lo perfecto de Dionisio.

Sevilla para herir.
¡Siempre Sevilla para herir!

PROCESIÓN

Por la calleja vienen
extraños unicornios.
¿De qué campo,
de qué bosque mitológico?
Más cerca,
ya parecen astrónomos.
Fantásticos Merlines
y el Ecce Homo.
Durandarte encantado.
Orlando furioso.

PASO

Virgen con miriñaque,
virgen de la Soledad,
abierta como un inmenso
tulipán.
En tu barco de luces
vas
por la alta marea
de la ciudad,
entre saetas turbias
y estrellas de cristal.
Virgen con miriñaque,
tú vas
por el río de la calle,
¡hasta el mar!

– Saeta –

Cristo moreno
pasa
de lirio de Judea
a clavel de España
¡Miradlo por donde viene!

Cielo limpio y obscuro
tierra tostada
y cauces donde corre
muy lenta el agua.

Cristo gitano con
las guedejas quemadas
los pómulos salientes
y las pupilas blancas
¡Miradlo por donde va!

– Balcón –

La Lola
canta saetas
Los torerillos
la rodean
y el barberillo
desde su puerta

Autógrafo del poeta que en la edición de 1931, introdujo pequeñas modificaciones

SAETA

Cristo moreno
pasa
de lirio de Judea
a clavel de España.

¡Miradlo por dónde viene!

De España.
Cielo limpio y oscuro,
tierra tostada,
y cauces donde corre
muy lenta el agua.
Cristo moreno,
con las guedejas quemadas,
los pómulos salientes
y las pupilas blancas.

¡Miradlo por dónde va!

BALCÓN

La Lola
canta saetas.
Los toreritos
la rodean,
y el barberillo
desde su puerta,
sigue los ritmos
con la cabeza.
Entre la albahaca
y la hierbabuena,
la Lola canta
saetas.
La Lola aquella,
que se miraba
tanto en la alberca.

MADRUGADA

Pero como el amor
los saeteros
están ciegos.

Sobre la noche verde,
las saetas
dejan rastros de lirio
caliente.

La quilla de la luna
rompe nubes moradas
y las aljabas
se llenan de rocío.

¡Ay, pero como el amor
los saeteros
están ciegos!

GRÁFICO DE LA PETENERA

A Eugenio Montes

CAMPANA

BORDÓN

En la torre
amarilla,
dobla una campana.

Sobre el viento
amarillo,
se abren las campanadas.

En la torre
amarilla,
cesa la campana.

El viento con el polvo
hace proras de plata.

CAMINO

Cien jinetes enlutados,
¿dónde irán,
por el cielo yacente
del naranjal?
Ni a Córdoba ni a Sevilla
llegarán.
Ni a Granada la que suspira
por el mar.
Esos caballos soñolientos
los llevarán,
al laberinto de las cruces
donde tiembla el cantar.
Con siete ayes clavados,
¿dónde irán
los cien jinetes andaluces
del naranjal?

LAS SEIS CUERDAS

La guitarra,
hace llorar a los sueños.
El sollozo de las almas
perdidas,
se escapa por su boca
redonda.
Y como la tarántula
teje una gran estrella
para cazar suspiros,
que flotan en su negro
aljibe de madera.

DANZA

EN EL HUERTO DE LA PETENERA

En la noche del huerto,
seis gitanas,
vestidas de blanco
bailan.

En la noche del huerto,
coronadas,
con rosas de papel
y biznagas.

En la noche del huerto,
sus dientes de nácar,
escriben la sombra
quemada.

Y en la noche del huerto
sus sombras se alargan,
y llegan hasta el cielo
moradas.

MUERTE DE LA PETENERA

En la casa blanca muere
la perdición de los hombres.

Cien jacas caracolean.
Sus jinetes están muertos.

Bajo las estremecidas
estrellas de los velones,
su falda de moaré tiembla
entre sus muslos de cobre.

Cien jacas caracolean.
Sus jinetes están muertos.

Largas sombras afiladas
vienen del turbio horizonte,
y el bordón de una guitarra
se rompe.

Cien jacas caracolean.
Sus jinetes están muertos.

FALSETA

¡Ay, petenera gitana!
¡Yayay, petenera!
Tu entierro no tuvo niñas
buenas.
Niñas que le dan a Cristo muerto
sus guedejas,
y llevan blancas mantillas
en las ferias.
Tu entierro fue de gente
siniestra.
Gente con el corazón
en la cabeza,
que te siguió llorando
por las callejas.
¡Ay, petenera gitana!
¡Yayay petenera!

DE PROFUNDIS

Los cien enamorados
duermen para siempre
bajo la tierra seca.
Andalucía tiene
largos caminos rojos.
Córdoba, olivos verdes
donde poner cien cruces,
que los recuerden.
Los cien enamorados
duermen para siempre.

CLAMOR

En las torres
amarillas,
doblan las campanas.

Sobre los vientos
amarillos,
se abren las campanadas.

Por un camino va
la muerte, coronada
de azahares marchitos.
Canta y canta
una canción
en su vihuela blanca,
y canta y canta y canta.

En las torres amarillas,
cesan las campanas.

El viento con el polvo,
hacen proras de plata.

DOS MUCHACHAS

A MÁXIMO QUIJANO

LA LOLA

Bajo el naranjo lava
pañales de algodón.
Tiene verdes los ojos
y violeta la voz.

¡Ay, amor,
bajo el naranjo en flor!

El agua de la acequia
iba llena de sol,
en el olivarito
cantaba un gorrión.

¡Ay, amor,
bajo el naranjo en flor!

Luego, cuando la Lola
gaste todo el jabón,
vendrán los torerillos.

¡Ay, amor,
bajo el naranjo en flor!

AMPARO

Amparo,
¡qué sola estás en tu casa
vestida de blanco!

(Ecuador entre el jazmín
y el nardo.)

Oyes los maravillosos
surtidores de tu patio,
y el débil trino amarillo
del canario.

Por la tarde ves temblar
los cipreses con los pájaros,
mientras bordas lentamente
letras sobre el cañamazo.

Amparo,
¡qué sola estás en tu casa,
vestida de blanco!

Amparo,
¡y qué difícil decirte:
yo te amo!

VIÑETAS FLAMENCAS

A MANUEL TORRES, «NIÑO DE JEREZ»,
que tiene tronco de Faraón

RETRATO DE SILVERIO FRANCONETTI

Entre italiano
y flamenco,
¿cómo cantaría
aquel Silverio?
La densa miel de Italia
con el limón nuestro,
iba en el hondo llanto
del siguiriyero.
Su grito fue terrible.
Los viejos
dicen que se erizaban
los cabellos,
y se abría el azogue
de los espejos.
Pasaba por los tonos
sin romperlos.

Y fue un creador
y un jardinero.
Un creador de glorietas
para el silencio.

Ahora su melodía
duerme con los ecos.
Definitiva y pura.
¡Con los últimos ecos!

JUAN BREVA

Juan Breva tenía
cuerpo de gigante
y voz de niña.
Nada como su trino.
Era la misma
pena cantando
detrás de una sonrisa.
Evoca los limonares
de Málaga la dormida,
y hay en su llanto dejos
de sal marina.
Como Homero cantó
ciego. Su voz tenía,
algo de mar sin luz
y naranja exprimida.

CAFÉ CANTANTE

Lámparas de cristal
y espejos verdes.

Sobre el tablado oscuro,
la Parrala sostiene
una conversación
con la muerte.
La llama,
no viene,
y la vuelve a llamar.
Las gentes
aspiran los sollozos.
Y en los espejos verdes,
largas colas de seda
se mueven.

LAMENTACIÓN DE LA MUERTE

A MIGUEL BENÍTEZ

Sobre el cielo negro,
culebrinas amarillas.

Vine a este mundo con ojos
y me voy sin ellos.
¡Señor del mayor dolor!
Y luego,
un velón y una manta
en el suelo.

Quise llegar adonde
llegaron los buenos.
¡Y he llegado, Dios mío!...
Pero luego,
un velón y una manta
en el suelo.

Limoncito amarillo,
limonero.
Echad los limoncitos
al viento.
¡Ya lo sabéis!... Porque luego,
luego,
un velón y una manta
en el suelo.

Sobre el cielo negro,
culebrinas amarillas.

CONJURO

La mano crispada
como una medusa
ciega el ojo doliente
del candil.

As de bastos.
Tijeras en cruz.

Sobre el humo blanco
del incienso, tiene
algo de topo y
mariposa indecisa.

As de bastos.
Tijeras en cruz.

Aprieta un corazón
invisible, ¿la veis?

Un corazón
reflejado en el viento.

As de bastos.
Tijeras en cruz.

MEMENTO

Cuando yo me muera
enterradme con mi guitarra
bajo la arena.

Cuando yo me muera
entre los naranjos
y la hierbabuena.

Cuando yo me muera
enterradme si queréis
en una veleta.

¡Cuando yo me muera!

T R E S   C I U D A D E S

A Pilar Zubiaurre

MALAGUEÑA

La muerte
entra y sale
de la taberna.

Pasan caballos negros
y gente siniestra
por los hondos caminos
de la guitarra.

Y hay un olor a sal
y a sangre de hembra,
en los nardos febriles
de la marina.

La muerte
entra y sale,
y sale y entra
la muerte
de la taberna

BARRIO DE CÓRDOBA

TÓPICO NOCTURNO

En la casa se defienden
de las estrellas.
La noche se derrumba.
Dentro hay una niña muerta
con una rosa encarnada
oculta en la cabellera.
Seis ruiseñores la lloran
en la reja.

Las gentes van suspirando
con las guitarras abiertas.

BAILE

La Carmen está bailando
por las calles de Sevilla.
Tiene blancos los cabellos
y brillantes las pupilas.

¡Niñas,
corred las cortinas!

En su cabeza se enrosca
una serpiente amarilla,
y va soñando en el baile
con galanes de otros días.

¡Niñas,
corred las cortinas!

Las calles están desiertas
y en los fondos se adivinan,

corazones andaluces
buscando viejas espinas.

¡Niñas,
corred las cortinas!

SEIS CAPRICHOS

A REGINO SAINZ DE LA MAZA

ADIVINANZA DE LA GUITARRA

En la redonda
encrucijada,
seis doncellas
bailan.
Tres de carne
y tres de plata.
Los sueños de ayer las buscan
pero las tiene abrazadas
un Polifemo de oro.
¡La guitarra!

CANDIL

¡Oh, qué grave medita
la llama del candil!

Como un faquir indio
mira su entraña de oro
y se eclipsa soñando
atmósferas sin viento.

Cigüeña incandescente
pica desde su nido
a las sombras macizas,
y se asoma temblando
a los ojos redondos
del gitanillo muerto.

CRÓTALO

Crótalo.
Crótalo.
Crótalo.
Escarabajo sonoro.

En la araña
de la mano
rizas el aire
cálido,
y te ahogas en tu trino
de palo.

Crótalo.
Crótalo.
Crótalo.
Escarabajo sonoro.

CHUMBERA

Laoconte salvaje.

¡Qué bien estás
bajo la media luna!

Múltiple pelotari.

¡Qué bien estás
amenazando al viento!

Dafne y Atis,
saben de tu dolor.
Inexplicable.

PITA

Pulpo petrificado.

Pones cinchas cenicientas
al vientre de los montes,
y muelas formidables
a los desfiladeros.

Pulpo petrificado.

CRUZ

La cruz.
(Punto final
del camino.)

Se mira en la acequia,
(Puntos suspensivos.)

ESCENA DEL TENIENTE CORONEL DE LA GUARDIA CIVIL

Cuarto de banderas

TENIENTE CORONEL

Yo soy el teniente coronel de la Guardia Civil.

SARGENTO

Sí.

TENIENTE CORONEL

Y no hay quien me desmienta.

SARGENTO

No.

TENIENTE CORONEL

Tengo tres estrellas y veinte cruces.

SARGENTO

Sí.

TENIENTE CORONEL

Me ha saludado el cardenal arzobispo con sus veinticuatro borlas moradas.

SARGENTO

Sí.

TENIENTE CORONEL

Yo soy el teniente. Yo soy el teniente. Yo soy el teniente coronel de la Guardia Civil.

(Romeo y Julieta, celeste, blanco y oro, se abrazan sobre el jardín de tabaco de la caja de puros. El militar acaricia el cañón de un fusil lleno de sombra submarina. Una voz fuera.)

Luna, luna, luna, luna,
del tiempo de la aceituna.
Cazorla enseña su torre
y Benamejí la oculta.

Luna, luna, luna, luna.
Un gallo canta en la luna.
Señor alcalde, sus niñas
están mirando a la luna.

TENIENTE CORONEL

¿Qué pasa?

SARGENTO

¡Un gitano!

(La mirada de mulo joven del gitanillo ensombrece y agiganta los ojirris del TENIENTE CORONEL *de la Guardia Civil.)*

TENIENTE CORONEL

Yo soy el teniente coronel de la Guardia Civil.

GITANO

Sí.

TENIENTE CORONEL

¿Tú quién eres?

GITANO

Un gitano.

TENIENTE CORONEL

¿Y qué es un gitano?

GITANO

Cualquier cosa.

TENIENTE CORONEL

¿Cómo te llamas?

GITANO

Eso.

TENIENTE CORONEL

¿Qué dices?

GITANO

Gitano.

SARGENTO

Me lo encontré y lo he traído.

TENIENTE CORONEL

¿Dónde estabas?

GITANO

En la puente de los ríos.

TENIENTE CORONEL

Pero ¿de qué ríos?

GITANO

De todos los ríos.

TENIENTE CORONEL

¿Y qué hacías allí?

GITANO

Una torre de canela.

TENIENTE CORONEL

¡Sargento!

SARGENTO

A la orden, mi teniente coronel de la Guardia Civil.

GITANO

He inventado unas alas para volar, y vuelo. Azufre y rosa en mis labios.

TENIENTE CORONEL

¡Ay!

GITANO

Aunque no necesito alas, porque vuelo sin ellas. Nubes y anillos en mi sangre.

TENIENTE CORONEL

¡Ayy!

GITANO

En enero tengo azahar.

TENIENTE CORONEL

(Retorciéndose.)

¡Ayyyyy!

GITANO

Y naranjas en la nieve.

TENIENTE CORONEL

¡Ayyyyy!, pun, pin, pam.

(Cae muerto)

(El alma de tabaco y café con leche del TENIENTE CORONEL *de la Guardia Civil sale por la ventana.)*

SARGENTO

¡Socorro!

(En el patio del cuartel, cuatro guardias civiles apalean al gitanillo.)

CANCIÓN DEL GITANO APALEADO

Veinticuatro bofetadas.
Veinticinco bofetadas;
después, mi madre, a la noche,
me pondrá en papel de plata.

Guardia Civil caminera,
dadme unos sorbitos de agua.
Agua con peces y barcos.
Agua, agua, agua, agua.

¡Ay, mandor de los civiles
que estás arriba en tu sala!
¡No habrá pañuelos de seda
para limpiarme la cara!

DIÁLOGO DEL AMARGO

CAMPO

UNA VOZ

Amargo.
Las adelfas de mi patio.
Corazón de almendra amarga.
Amargo.

(Llegan tres jóvenes con anchos sombreros.)

JOVEN 1.º

Vamos a llegar tarde.

JOVEN 2.º

La noche se nos echa encima.

JOVEN 1.º

¿Y ése?

JOVEN 2.º

Viene detrás.

JOVEN 1.º
(En voz alta)

¡Amargo!

AMARGO
(Lejos

Ya voy.

JOVEN 2.º
(A voces)

¡Amargo!

(Pausa)

AMARGO
(Con calma)

¡Ya voy!

JOVEN 1.º

¡Qué hermosos olivares!

JOVEN 2.º

Sí.

(Largo silencio.)

JOVEN 1.º

No me gusta andar de noche.

JOVEN 2.º

Ni a mí tampoco.

JOVEN 1.º

La noche se hizo para dormir.

JOVEN 2.º

Es verdad.

(Ranas y grillos hacen la glorieta del estío andaluz. El AMARGO *camina con las manos en la cintura.)*

AMARGO

Ay yayayay.
Yo le pregunté a la muerte.
Ay yayayay.

(El grito de su canto pone un acento circunflejo sobre el corazón de los que lo han oído.)

JOVEN 1.º
(Desde muy lejos)

¡Amargo!

JOVEN 2.º

(Casi perdido)

¡Amargooo!

(Silencio.)

(El AMARGO *está solo en medio de la carretera. Entorna sus grandes ojos verdes y se ciñe la chaqueta de pana alrededor del talle. Altas montañas le rodean. Su gran reloj de plata le suena oscuramente en el bolsillo a cada paso.)*

(Un JINETE *viene galopando por la carretera.)*

JINETE

(Parando el caballo)

¡Buenas noches!

AMARGO

A la paz de Dios.

JINETE

¿Va usted a Granada?

AMARGO

A Granada voy.

JINETE

Pues vamos juntos.

AMARGO

Eso parece.

JINETE

¿Por qué no monta en la grupa?

AMARGO

Porque no me duelen los pies.

JINETE

Yo vengo de Málaga.

AMARGO

Bueno.

JINETE

Allí están mis hermanos.

AMARGO

(Displicente)

¿Cuántos?

JINETE

Son tres. Venden cuchillos. Ese es el negocio.

AMARGO

De salud les sirva.

JINETE

De plata y de oro.

AMARGO

Un cuchillo no tiene que ser más que cuchillo.

JINETE

Se equivoca.

AMARGO

Gracias.

JINETE

Los cuchillos de oro se van solos al corazón. Los de plata cortan el cuello como una brizna de hierba.

AMARGO

¿No sirven para partir el pan?

JINETE

Los hombres parten el pan con las manos.

AMARGO

¡Es verdad!

(El caballo se inquieta.)

JINETE

¡Caballo!

AMARGO

Es la noche.

(El camino ondulante salomoniza la sombra del animal.)

JINETE

¿Quieres un cuchillo?

AMARGO

No.

JINETE

Mira que te lo regalo.

AMARGO

Pero yo no lo acepto.

JINETE

No tendrás otra ocasión.

AMARGO

¿Quién sabe?

JINETE

Los otros cuchillos no sirven. Los otros cuchillos son blandos y se asustan de la sangre. Los que nosotros vendemos son fríos. ¿Entiendes? Entran buscando el sitio de más calor y allí se paran.

(El AMARGO *se calla. Su mano derecha se le enfría como si agarrase un pedazo de oro.)*

JINETE

¡Qué hermoso cuchillo!

AMARGO

¿Vale mucho?

JINETE

Pero ¿no quieres éste?

(Saca un cuchillo de oro. La punta brilla como una llama de candil.)

AMARGO

He dicho que no.

JINETE

¡Muchacho, súbete conmigo!

AMARGO

Todavía no estoy cansado.

(El caballo se vuelve a espantar.)

JINETE

(Tirando de las bridas)

Pero ¡qué caballo este!

AMARGO

Es lo oscuro.

(Pausa.)

JINETE

Como te iba diciendo, en Málaga están mis tres hermanos. ¡Qué manera de vender cuchillos! En la catedral compraron dos mil para adornar todos los altares y poner una corona a la torre. Muchos barcos escribieron en ellos sus nombres; los pescadores más humildes de la orilla del mar se alumbran de noche con el brillo que despiden sus hojas afiladas.

AMARGO

¡Es una hermosura!

JINETE

¿Quién lo puede negar?

(La noche se espesa como un vino de cien años. La serpiente gorda del Sur abre sus ojos en la madrugada, y hay en los durmientes un deseo infinito de arrojarse por el balcón a la magia perversa del perfume y la lejanía.)

AMARGO

Me parece que hemos perdido el camino.

JINETE

(Parando el caballo)

¿Sí?

AMARGO

Con la conversación.

JINETE

¿No son aquéllas las luces de Granada?

AMARGO

No sé.

JINETE

El mundo es muy grande.

AMARGO

Como que está deshabitado.

JINETE

Tú lo estás diciendo.

AMARGO

¡Me da una desesperanza! ¡Ay yayayay!

JINETE

Porque llegas allí. ¿Qué haces?

AMARGO

¿Qué hago?

JINETE

Y si te estás en tu sitio, ¿para qué quieres estar?

AMARGO

¿Para qué?

JINETE

Yo monto este caballo y vendo cuchillos, pero si no lo hiciera, ¿qué pasaría?

AMARGO

¿Qué pasaría?

(Pausa.)

JINETE

Estamos llegando a Granada.

AMARGO

¿Es posible?

JINETE

Mira cómo relumbran los miradores.

AMARGO

Sí, ciertamente.

JINETE

Ahora no te negarás a montar conmigo.

AMARGO

Espera un poco.

JINETE

¡Vamos, sube! Sube de prisa. Es necesario llegar antes de que amanezca... Y toma este cuchillo. ¡Te lo regalo!

AMARGO

¡Ay yayayay!

(El JINETE *ayuda al* AMARGO. *Los dos emprenden el camino de Granada. La sierra del fondo se cubre de cicutas y de ortigas.)*

Canción de la madre del Amargo

Lo llevan puesto en mi sábana
mis adelfas y mi palma.

Día veinte y siete de Agosto
con un cuchillito de oro.

La cruz. ¡Y vamos andando!
Era moreno y amargo.

Vecinas dadme una jarra
de azófar con limonada.

La cruz. No llorad ninguna
el amargo está en la luna

9 de Julio 1925

Con este poema se cierra la edición del «Poema del cante jondo»

CANCIÓN DE LA MADRE DEL AMARGO

Lo llevan puesto en mi sábana
mis adelfas y mi palma.

Día veintisiete de agosto
con un cuchillito de oro.

La cruz. ¡Y vamos andando!
Era moreno y amargo.

Vecinas, dadme una jarra
de azófar con limonada.

La cruz. No llorad ninguna.
El Amargo está en la luna.

FIN DEL «POEMA DEL CANTE JONDO»

APÉNDICE

Publicamos en este Apéndice las poesías del *Poema del cante jondo* que, aunque no figuraban en el libro cuando éste se publicó por primera vez en 1931, pertenecen realmente a él. Estas poesías, que su autor decidió no incluir en el libro, han sido dadas a conocer por Rafael Martínez Nadal, poseedor de los manuscritos, en el interesante volumen *Federico García Loca: Autógrafos. I, Poemas y prosas*, The Dolphin Book Co. Ltd., Oxford, 1975. El texto que reproducimos corresponde a la transcripción depurada de los poemas, tal como la establece Martínez Nadal en dicho volumen.

REFLEJO FINAL

Sobre el barrio de las cuevas
la luna está,

Oh Martirio Carmen
y Soledad
las que llevasteis
la petenera a enterrar
y tenéis junto a la puerta
un limonar.
En vuestros ojos
duerme el puñal
que lleva la siguirilla
por el olivar.

¡Oh Martirio Carmen
y Soledad!

VOTO

¡Corazón
con siete puñales.
¡Ya es tarde!
Vete por el camino
de los ayes,
Vete,
a ninguna parte
Flor de Nunca
Por el aire...
por el aire...
¡Ay corazón...
con siete puñales!

MISERERE

La copla rasga al tiempo.
¡Este es su secreto!

Se clava en el amor.
¡Este es su dolor!

Y despierta a la Muerte.
¡Miserere!

Las seis cuerdas

La guitarra hace llorar
a los niños
El suspiro de las almas
perdidas,
se escapa por su boca
redonda
y como la tarántula
teje una gran estrella
para cazar suspiros
que flotan en su negro
aljibe de madera

...del naranjal.
Ni a Córdoba ni a Sevilla
llegaran.
Ni a Granada la que suspira
por el mar.
Esos caballos soñolientos
los llevaran
al laberinto de las cruces
donde tiembla el cantar.
Con siete ayes clavados
¿dónde irán
los cien jinetes andaluces
del naranjal?

El huerto de la petenera

Sobre el estanque duermen
los [illegible].
Los cipreses son negros
[illegible] de rosales
y hay campanas doblando
por todas partes
A este huerto se llega
demasiado tarde
con los ojos sin luz
y el paso vacilante.
Después de atravesar
un río de sangre.

Danza.

En la noche del huerto
seis gitanas
vestidas de blanco
bailan.

En la noche del huerto
coronadas
con rosas de papel
y biznagas
En la noche del huerto

Con su vigor selectivo, Federico García Lorca suprimió en el libro este poema

EL HUERTO DE LA PETENERA

Sobre el estanque
duermen los sauces.
Los cipreses son negros
surtidores de rosales
y hay campanas doblando
por todas partes.
A este huerto se llega
demasiado tarde
con los ojos sin luz
y el paso vacilante.
Después de atravesar
un río de sangre.

SIBILA

NOCHE

Pueblo blanco

Las puertas están
cerradas.

(un grillo ondula
su cinta sonora)

El farol
se va con la estrella
y la estrella
se va con el cauce

–Pueblo blanco

(gira la veleta
del mundo)

NOCHE MEDIA

Pueblo ceniza

Por el aire bogan
los tics de los relojes
como huellas de dedos
sobre la brisa fría.
Y el grito de los gallos
viene de otro mundo.

ELLA

La sibila
Está en la encrucijada

(El cielo
se acerca)

Llega una brisa llena
de ruidos ideales.

(¡Oh procesión
de preguntas!)

FUERA

Gritos abandonados
tiemblan en el viento.
(¡Andalucía punzante!)
Largas brisas azules
patinan sobre el río
y el paisaje se va
por un bisel inmenso.

CAMPO

Noche verde.
Lentas
espirales moradas
tiemblan
en la bola de vidrio
del aire.
En las cuevas dormitan
las serpientes del ritmo.
Noche verde.

COPLA

Aquella copla,
tenía,
una mariposa negra
y una mariposa roja.

Yo miraba los balcones
plateados de la aurora
montado sobre la luna
de mi noria.
Salen estrellas de oro
(salían estrellas de sombra).

Decía
Aquella copla.
La indecisión de mi vida
Entre las dos mariposas

Quejío

¿Eres tú
el que lloras?

En el huerto
de los claveles
te encuentro.

¿Me quieres?
¿Aquel recuerdo?
¡Ay yayayay!
Aquel recuerdo
lo tiene ella bordado ~~cuantas estrellas~~
en su pañuelo cuantas ~~~~ estrellas
que hay en el cielo
¡Yo no puedo hacer por ti
más de lo que lo hecho!

¿Eres tú
el que lloras?

—

Malagueña

La muerte
entra y sale
en la taberna

Pasan caballos negros

Autógrafo de uno de los catorce poemas eliminados en la primera edición

QUEJÍO

¿Eres tú
el que lloras?

En el huerto
de los claveles
te encuentro.

¿Qué quieres?
¿Aquel recuerdo?

¡Ay yayayay!

Aquel recuerdo
lo tiene ella bordado
en su pañuelo.
Cuenta las estrellitas
que hay en el cielo.
¡Yo no puedo hacer por ti
más de lo que he hecho!

¿Eres tú
el que lloras?

SIBILA

Puerta cerrada.

¡Y un rebaño
de corazones
que aguardan...!

Dentro se oye llorar
De una manera desgarrada
Llanto de un calavera
que esperara
un beso de oro

Puerta cerrada.

(Fuera viento sombrío
y estrellas turbias)

LUNA NEGRA

En el cielo de la copla
asoma la luna negra
Sobre las nubes moradas.

Y en el suelo de la copla,
hay yunques negros que aguardan
poner al rojo la luna.

BORDÓN

¡Ay si te veré
si no te veré!

A mí no me importa nada
más que tu querer

¿Guardas la risa de entonces
y el corazón aquel?

ÍNDICE

Páginas

POEMA DEL CANTE JONDO

APÉNDICE